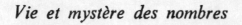

Vie et mystère des nombres

DU MÊME AUTEUR

En collaboration :

L'Univers de la Parapsychologie et de l'Esotérisme
Editions Martinsart, Paris, 1975

François-Xavier Chaboche

VIE ET MYSTÈRE DES NOMBRES

Editions de Compostelle

Boîte postale 321 - 09
75423 Paris cedex 09

ISBN 2-907449-01-X

Prince,

il était naturel que cet ouvrage
vous soit dédié,
puisque vous en avez suivi et
inspiré les étapes,
sous le signe des trois roses
et des sept flambeaux

Avant-propos

« Qui » sont les nombres ? Quelle est leur part de réalité objective et subjective ? De quelles perspectives de connaissance et d'action sont-ils les interprètes ? De quels mystères sont-ils les témoins ?

Dans notre exploration de l'Univers des nombres — qui, par définition, présente des aspects infiniment variés — il nous a fallu *choisir*, plus ou moins arbitrairement, quelques pistes de recherche, parmi les plus attrayantes, les plus significatives ou les plus accessibles. (Le sujet ne se prête, d'emblée, ni à la facilité, ni à la fantaisie...)

Ces pages sont donc davantage le *compte rendu d'une enquête* que l'exposé d'une doctrine...

Notre seule ambition est d'avoir entrouvert quelques portes, au-delà desquelles le lecteur pourra, s'il le désire, s'aventurer par lui-même : d'autres guides — certainement plus compétents — l'accompagneront...

Note sur la seconde édition (1989)

Depuis la rédaction du présent livre (en 1974), l'auteur a accumulé une importante documentation qui justifierait une refonte de l'ouvrage — d'autant que de nombreuses imperfections s'étaient glissées dans la première édition.

Dans l'immédiat — et devant l'attente du public —, nous livrons le texte original avec quelques corrections nécessaires et modifications mineures. Deux annexes ont été ajoutées.

PREMIÈRE PARTIE

LES NOMBRES EN QUESTION, TÉMOINS DE L'INFINI, TÉMOINS DU MYSTÈRE

« Les grandes personnes aiment les chiffres. Quand vous leur parlez d'un nouvel ami, elles ne vous questionnent jamais sur l'essentiel. Elles ne vous disent jamais : " Quel est le son de sa voix ? Quels sont les jeux qu'il préfère ? Est-ce qu'il collectionne les papillons ? " Elles vous demandent : " Quel âge a-t-il ? Combien a-t-il de frères ? Combien pèse-t-il ? Combien gagne son père ? " Alors seulement elles croient le connaître.

« Si vous dites aux grandes personnes : " J'ai vu une belle maison en briques roses, avec des géraniums aux fenêtres et des colombes sur le toit... " elles ne parviennent pas à s'imaginer cette maison. Il faut leur dire : " J'ai vu une maison de cent mille francs. " Alors elles s'écrient : " Comme c'est joli ! " »

Antoine de Saint-Exupéry.
Le Petit Prince (N.R.F.)

1

De la quantité à la qualité : qui sont les nombres ?

Notre civilisation, technicienne et scientifique, nous a définitivement habitués à considérer les nombres comme des abstractions intellectuelles — que les manuels scolaires appellent poétiquement des « êtres mathématiques » — utilisables comme instruments conventionnels de calcul, de mesure ou d'organisation.

Les nombres sont présents dans la plupart des activités et des préoccupations de notre vie quotidienne. Créer et accumuler davantage de biens consommables contribue à donner au Nombre cette image d'omnipotence et d'omniprésence. Il suffit, pour s'en convaincre, de constater l'intérêt que l'on accorde à un chiffre, dès qu'il est imprimé sur un billet de banque, par exemple. Le nombre, assorti d'une unité de mesure monétaire, possède un véritable pouvoir ; valeur quasiment magique accordée à la quantité.

L'économie, et sa suite, la politique ainsi que la plupart des affaires humaines, sont tout entières dépendantes des « chiffres ».

Naturellement, la science, sur laquelle repose tout l'édifice de la technologie (donc, de l'industrie), serait inexistante sans la présence fondamentale du nombre.

Dans cet univers de statistiques et de mesures, on ne tient *compte* que de ce qui est tangible, palpable, apparent ou en tout cas *mesurable*. Tout ce qui échappe aux mathématiques appliquées n'entre donc pas en considération dans cet environnement exclusivement matérialiste.

Dans cette optique purement utilitaire, le témoignage du nombre est aussi intouchable, aussi définitivement immobile que peuvent l'être les mesures étalons du Pavillon de Breteuil à Sèvres.

Et pourtant, cette conception statique ne repose que sur une illusoire et courte vue : celle qui ne considère que le monde extérieur, concret, et les avantages matériels et pratiques que l'on peut en tirer dans l'immédiat, ou dans une échéance prévisible. En une phrase : le système économique mondial est euclidien, dans un univers qui ne l'est pas.

Rien n'est immobile dans le monde physique. La notion arithmétique du nombre semble n'être qu'une pure « vue de l'esprit » sans rapport avec la réalité des choses, puisque aucun nombre n'est discernable « concrètement » dans la nature. Bien sûr, il y a des lois, représentées par des nombres, des équations et des formules, sur lesquelles repose l'équilibre de l'Univers en mouvement. Mais ces « nombres » évoquent davantage des forces et des énergies en présence que des quantités de substances « mesurables ».

Depuis Einstein tout le monde sait que la matière est énergie. Mais l'énergie est particulièrement « mouvementée » et les formes qu'elle prend sont sujettes à de multiples mutations. On peut définir une substance chimique par un simple nombre, mais la structure d'un atome tend, avec le temps, à « évoluer ». L'uranium, par exemple, évolue — ou involue ? — vers le radium, lequel, en perdant sa radioactivité, devient du plomb : $U_{92} \rightarrow Ra_{88} \rightarrow Pb_{82}$. Tout ce qui est dynamique — comme l'ensemble des processus de la vie — n'est pratiquement mesurable qu'à travers des rythmes et des interférences de rythmes. Le Rythme est la dimension vivante du nombre.

Balzac affirmait (in *Louis Lambert*) : « Tout ici-bas n'existe que par le mouvement et le nombre ; le mouvement est en quelque sorte le nombre agissant. » Ceci est à rapprocher de la célèbre formule de Charles-Bernard Renouvier (1815-1903) : « Le nombre s'applique à tout phénomène ou est susceptible de l'être. »

Rien ne s'oppose à ce que les phénomènes de la vie puissent être compris d'une façon logique.

« *Presque toutes nos actions* simples ou savamment combinées », écrivait Simone Weil en 1926, dans *L'Enracinement,* « sont des applications de notions géométriques, l'univers où nous vivons est un tissu de relations géométriques et la nécessité géométrique est celle même à laquelle nous sommes soumis, en fait, comme créatures enfermées dans l'espace et le temps ».

Le philosophe bulgare O. M. Aïvanhov va jusqu'à affirmer : « On s'apercevra un jour qu'*il faut vivifier les sciences, c'est-à-dire les retrouver dans tous les domaines de la vie.* C'est alors que les formules mathématiques, les formes et les propriétés géométriques nous parleront un autre langage ; on trouvera que les mêmes lois que celles étudiées dans ces sciences régissent nos pensées, nos sentiments, nos actes. » (*Les sept lacs de Rila*, 1946.)

De fait, les tentatives ne manquent pas d'appliquer les mathématiques à des domaines aussi insaisissables que les phénomènes vitaux et sociaux, ou aussi intangibles que les phénomènes psychiques.

Les mathématiques sont théoriquement un langage et un instrument applicables à toutes les autres sciences. Ce qui faisait dire à Bergson que « toutes les sciences tendent aux mathématiques comme à un idéal. »

Mais si nos moyens techniques et nos instruments de mesure se sont considérablement développés, la vie intérieure, l'essence des choses leur échappent. Bien que l'on pense que tout est mesurable, que toutes les réalités peuvent entrer dans des diagrammes, des graphiques et des équations, il n'existe pas encore d'outil mathématique réellement convaincant applicable aux sciences dites humaines.

L'école du « structuralisme » essaie de rendre compte de la complexité des rapports sociaux par des représentations schématiques relativement simples.

Le professeur Dwight Wayne Batteau, aux Etats-Unis, a tenté une approche mathématique des sentiments et des émotions, par le biais de sa *théorie de la signification*. Ses travaux n'ont pas encore permis d'applications convaincantes dans la psychologie, malgré quelques trouvailles intéressantes sur le plan technique.

La méthode statistique permet de donner une idée générale des grands courants qui se dessinent dans la vie sociale et politique. Mais elle ne rend pas compte de ce qu'il y a de spécifique au sein de chaque courant et de chaque phénomène étudié, qui, de plus, sont en constante évolution.

Avec tout son arsenal de tests psychotechniques et sa codification complexe, le psychologue — en croyant mesurer les aptitudes et données psychologiques diverses d'un individu — est comparable, en fait, à un (mauvais) photographe qui prendrait le cliché d'un oiseau en vol. L'instantané obtenu ne rendra compte ni du relief, ni du mouvement, ni de la vie interne de l'oiseau. La photographie donnera une idée, déjà complexe, mais ne permettra pas la connaissance effective d'un phénomène spécifique de la vie : le vol d'un animal à plumes...

Mesurer, c'est limiter, et souvent c'est méconnaître.

De plus, comme le rappelle Roland Jaccard : « ... Les résultats obtenus [par les tests] dépendent autant du degré de motivation de la personne testée que de l'attitude de l'observateur. » (*Le Monde*, 8-7-1973.)

La modification par l'observateur d'un phénomène observé, et la difficulté qui en découle pour réaliser des mesures suffisamment significatives, sont constatées jusque dans les sciences physiques. Dans son livre *L'Homme et la Science* *, Walter Heitler (l'un des co-auteurs de la Théorie de Heitler-London (1927) relative à la structure moléculaire de l'hydrogène) écrit : « L'observateur et l'objet observé ne doivent plus être considérés séparément, car chaque observation influe sur l'objet observé de façon imprévisible. »

« Avec le principe de causalité comme avec le principe de quantité on aboutit à une " image universelle " scientifique, étrangère à la vie et plus encore à l'homme », ajoute-t-il.

La « qualité de la vie » (qui a peut-être quelque chose à voir avec ce « supplément d'âme » que réclame notre civilisation) n'échappe malheureusement pas à l'empire des « chiffres » puisque les « responsables » concernés (et obligatoires) travaillent avec des statistiques et... des crédits (limités). Or, ainsi que le remarquait Pierre Gaxotte : « Les chiffres sont un élément de connaissance. Le tort serait de leur donner une valeur absolue. Ce sont des éléments de témoignage, qui, comme tout témoignage, doivent être pesés et critiqués. [...] Dès qu'il s'agit des affaires humaines, les sentiments, les passions, les illusions, jettent à bas fort souvent les certitudes que les gouvernants demandent aux chiffres... » (*Spectacle du Monde*, juillet 1973.)

Dans l'absolu, il n'y a pas de réelle frontière entre la quantité et la qualité : ce sont deux points de vue d'une même réalité (ils évoluent donc parallèlement). Chaque couleur, chaque son, par exemple, sont définis par une longueur d'onde que l'on peut assez précisément chiffrer. Mais dans la subjectivité de notre expérience

---

* W. HEITLER, *Der Mensch und die naturwissenschafliche Erkenntnis*, Friedr. & Sohn Verlag, Braunschweig, 1964. *Man and Science*, trad. anglaise de R. Schlapp, Olivier & Boyd Ed. London.

visuelle ou auditive, c'est l'aspect qualitatif de telle couleur, de tel son, qui nous « impressionne » ou nous « émeut ».

La bio-électronique permettra peut-être un jour de mesurer — et décrypter — la longueur d'onde d'une pensée ou d'un sentiment. Les encéphalogrammes donnent déjà une idée des rythmes et impulsions électriques propres à l'activité cérébrale. Les détecteurs de mensonge permettent déjà, dans un certain sens, de mesurer la sincérité... Mais aucune machine ne nous donnera d'explication — en profondeur — sur le sens ultime de notre existence.

Quant aux ordinateurs, ils sont sans doute capables de tout, sauf, probablement, d'actes gratuits... et d'amour !

***

La culture contemporaine, comme le pressentait déjà, au XVIIIe siècle, Micromégas (le héros extra-terrestre de Voltaire), utilise le nombre comme langage universel, capable de faire le lien entre les différentes disciplines scientifiques (au-delà même des frontières), et de permettre le dialogue entre les nations, comme critère d'appréciation dans les domaines technologiques et économiques. Cette rencontre se situe d'ailleurs exclusivement au niveau de « techniciens » (et de diplomates...).

La tradition et l'ésotérisme considèrent également le nombre comme un langage universel — sous-jacent à toutes les disciplines occultes (astrologie, alchimie, etc...) et permettant de faire le lien entre elles, par analogie symbolique (loi des correspondances) — mais en tant qu'expression d'une réalité non exclusivement quantitative.

En effet, la doctrine traditionnelle des nombres considère ceux-ci, non seulement dans leurs propriétés logiques, arithmétiques, algébriques, géométriques... mais également, et surtout, dans leurs dimensions analogique, symbolique, psychologique, ludique, poétique, féerique, métaphysique... L'histoire de l'arithmétique et celle de la numérologie (ou arithmologie), se confondent à l'origine — de même que se confondaient l'astronomie et l'astrologie, la chimie et l'alchimie.

Contrairement à ce que l'on pense souvent, il ne s'agissait pas d'un mélange désinvolte de science et de superstition (la science contemporaine n'a-t-elle pas engendré ses propres superstitions ?) mais toutes ces « sciences » étaient issues d'un système de pensée

global qui ne faisait pas de distinction entre l'étude du monde
« physique » et l'étude du monde « métaphysique ». Avant Aristote
(le fossoyeur du « monisme ») la « science » de l'Antiquité prenait
d'abord en considération le monde de l'invisible, de l'infini et du
divin, pour expliquer le monde visible, limité et humain. On ne
dissociait pas ces mondes : les structures de la matière étaient
comme le reflet immédiat des structures de l'esprit.

Cette façon de penser existe encore de nos jours, non seulement
dans les tribus que l'on dit « primitives », mais également parmi
des gens que l'on dit « civilisés ». Elle se réfère à ce qu'on
appelle la *tradition primordiale*, qui nous est accessible au moins
par deux voies : l'Histoire et l'intuition.

De l'Histoire nous ne pouvons retenir que les documents transmis
par le temps sans trop d'altérations (sans parler des différentes
formes de censure opérées au cours des siècles par les « Eglises »,
les « universités », les « Etats »). Nous nous aventurons donc,
dans l'histoire des nombres, comme des archéologues de la tradition, et il nous faut compléter le contenu des textes par une
synthèse intuitive — qui est celle de la *tradition vivante*.

« La vraie connaissance, écrit Abellio, est à la fois *science* et
illumination intérieure. »

La science des nombres est, en fait, l'armature, l'ossature de
la « Gnose » (du grec : *gnôsis, connaissance*, au sens traditionnel
du mot), et elle reste *essentiellement* la même, à travers les
différentes formes qu'elle a pu prendre, exprimée par les Vedas et
les textes orientaux (notamment : *I King, Tao te King*), les traditions celtique, chaldéenne, égyptienne, hébraïque (*Kabbale, Sepher
Yetsirah*, etc.), les mystères initiatiques des sanctuaires méditerra-
néens (où furent initiés Pythagore, Platon, Porphyre, Jamblique,
Ausone...), les Pères de l'Eglise (Philon, saint Justin, saint Irénée,
saint Ambroise, saint Augustin, saint Jérôme, saint Hilaire, saint
Cyrille, saint Jean Chrysostome...), les hermétistes, kabbalistes,
alchimistes et théologiens du Moyen Age, les Arabes (de la tradition alexandrine), Avicenne... jusqu'aux écoles d'occultisme des
XIXe et XXe siècles.

Nous puiserons, en fait, la plupart de nos informations dans
la tradition pythagoricienne et dans la Kabbale qui restent les deux
sources essentielles de la doctrine des Nombres.

*
**

En dehors du théorème qui porte son nom (bien qu'il fût antérieurement connu), on n'enseigne pas grand-chose, de nos jours, sur Pythagore.

Dans son magistral ouvrage *Les Grands Initiés*, Edouard Schuré écrivait : « Pythagore appelait ses disciples des mathématiciens, parce que son enseignement supérieur commençait par la doctrine des nombres. Mais cette mathématique sacrée, ou science des principes, était à la fois plus transcendante et plus vivante que la mathématique profane, seule connue de nos savants et de nos philosophes. Le NOMBRE n'y était pas considéré comme une quantité abstraite, mais comme la vertu intrinsèque et active de l'UN suprême, de Dieu, source de l'harmonie universelle. La science des *nombres* était celle des forces vivantes, *des facultés divines* en action dans le monde et dans l'homme, dans le macrocosme et le microcosme... En les pénétrant, en les distinguant et en expliquant leur jeu, Pythagore ne faisait donc rien moins qu'une théogonie ou une théologie rationnelle » (Librairie Académique Perrin, 1889).

Charles Lancelin — dans son ouvrage *L'Occultisme et la science* (éd. J. Meyer, 1926) — dit de l'école pythagoricienne qu' « elle représente l'origine de la diffusion des théories mystériales, c'est-à-dire la pensée atlantéenne telle qu'elle était étudiée dans les cryptes sacrées de l'Egypte ; aussi la plaçons-nous en premier, puisqu'elle est dérivée directement de la tradition des atlantes.

« Pythagore (580-490), disciple de tous les maîtres d'Egypte, de l'Inde, de la Grèce, de la Phénicie et de la Chaldée, fonda d'abord à Crotone l'école italique ; la base de sa doctrine est : — l'unité divine, absolue et primordiale, en qui il voit la monade des monades ; — l'immortalité de l'âme ; — la pluralité des existences dans un but de progression — et enfin l'organisation harmonieuse de l'univers basée sur la série des nombres, à laquelle il attribuait la plus grande puissance. » Parmi ses disciples les plus connus figurent aux VIe, V[e] et IVe siècles avant J.-C. : Alcmeon (qui enseigna l'étude de l'anatomie par dissection), Timée de Locres (qui fut le maître de Platon), Œnopidas de Chios et Philolaus , Lysis et Archytas de Tarente (à qui l'on doit la vis, la poulie et la duplication du cube).

« Lorsque le maître et ses disciples immédiats furent disparus, le pythagorisme déclina ; et sa doctrine fut déformée par ses dépositaires ultérieurs [...] Cependant au Iᵉʳ siècle, cette école jeta un nouvel éclat sous le nom de néopythagorisme. » Le célèbre contemporain de Jésus, Apollonius de Tyane en faisait partie.

Quant à la Kabbale (de l'hébreu : *kabbalah, chose reçue, révélation*), elle est une synthèse de la tradition ésotérique des Israélites — connue notamment à travers les commentateurs des livres de la Bible attribués à Moïse (le Pentateuque).

Cette tradition aurait été léguée aux premiers hommes par les « Elohim » ou dieux créateurs, que l'on assimile aussi bien aux « anges » du judéo-christianisme (du grec *angelos*, messager), qu'à nos modernes « extra-terrestres ».

Une des principales applications de la Kabbale concerne le déchiffrement des textes sacrés, par le symbolisme des nombres et des lettres — mais elle est avant tout l'exposé d'une cosmogonie (c'est-à-dire une explication de la formation de l'Univers) fondée sur les nombres (Séphiroth) considérés comme puissances conscientes et actives.

Il y a un siècle, un académicien français, l'abbé A. Gratry, écrivait : « S'il est vrai que les caractères mathématiques sont des vérités absolues éternelles, elles sont en Dieu, elles sont la loi de toute chose. Nous commençons à le comprendre pour la nature inanimée : mais que sont-elles dans l'ordre vivant ? Que sont-elles dans l'âme ? Que sont-elles en Dieu ? Et quelle est la philosophie de ces formes ? Questions étranges pour les mathématiciens purs aussi bien que pour les philosophes purs, mais questions que l'on posera, et que peut-être on résoudra un jour, quand les mathématiques se répandront dans l'ensemble de la science comparée » (*Les Sources*, P. Tequi, libr. éd., 1876).

Or, qu'en est-il aujourd'hui ?

2

L'explosion de l'unité

L'essentiel des problèmes que se sont posés les savants, les philosophes et les penseurs de toutes époques, des questions les plus importantes et les plus complexes de l'histoire de la pensée humaine, peut être résumé par un ensemble de trois éléments : 0, 1, ∞, soit : le néant, l'être et l'infini... (qui ont inspiré, entre autres, le titre des ouvrages célèbres de J.-P. Sartre : *L'Etre et le Néant* et d'A. Kœstler : *Le Zéro et l'Infini*).

Une des questions les plus fascinantes que se pose la physique contemporaine, est de savoir comment le « Tout » peut provenir du « Rien ».

Le passage du 0 au 1 est une opération astronomique et étonnante. Si l'on considère la relation mathématique : $\dfrac{1}{0} = \infty$, on voit que 1, soit symboliquement « le premier germe d'être », est égal au produit de 0 par ∞, du « Rien » par le « Tout ». L'hindouisme, pour expliquer la création à partir du 0 « *Nada* », fait intervenir la mystérieuse force du « *Bindou* ». Le 0, indéfini, contient en puissance l'infini qui préexiste nécessairement au 1 et à tout multiple de 1.

Ces notions peuvent paraître difficiles au premier abord, peut-être à cause de leur excessive simplicité.

Toutes les cosmogonies traditionnelles expliquent la création de l'Univers à partir du 1 et de sa projection, son explosion, dans l'infini. (L'hypothèse de l'atome primitif et de l'expansion de l'univers est sérieusement étayée par les données actuelles de l'astrophysique.) Le mouvement du premier atome d'existence, par l'explosion de l'unité originelle crée l'espace-temps et toutes les dimensions du Cosmos. D'ailleurs Kant définissait l'arithmétique comme science du *temps* et la géométrie comme science de *l'espace*. Ainsi, la diversité et la multiplicité viennent du « partage » de l'Unité. Le mot « nombre » vient du grec *némô, partager,* d'où le latin : *numerus*, et l'italien : *numero*.

On pourrait imaginer, « physiquement », que les nombres sont une *multiplication* du 1, alors que « métaphysiquement », ils sont considérés comme une *division* du 1. Toute une perception dynamique de l'univers est issue de ce paradoxe : ne dit-on pas, en biologie, que les êtres unicellulaires « se multiplient par division » ? Abellio a pu dire que « la science numérale n'est pas seulement une Symbolique mais une Génétique... »

Les nombres entiers, définis par rapport à l'unité, tendent à la fois vers l'infini par leur « multiplication » apparente, et vers le 0, le « néant », par la désintégration de l'unité qu'ils représentent. Toutes les entités existant dans l'univers ressemblent à ces nombres, perdus « entre deux infinis » comme dirait Pascal. La relation de l'unité et de l'infini constitue la célèbre « dyade » pythagoricienne.

Une loi constante régit le *dynamisme* des nombres : issu de l'unité, chaque nombre « aspire » à l'unité ; ainsi, chaque nombre appelant l'unité supérieure « s'adjoint » une nouvelle unité et crée un nombre nouveau. (C'est peut-être pourquoi il n'y a « jamais deux sans trois », pourquoi les « trois mousquetaires » se révèlent quatre, pourquoi les cinq sens en supposent un sixième, etc.). C'est un « piège » de la multiplicité, analogue à celui de la génération biologique (inversement, chaque nombre peut se déduire de l' « unité » supérieure).

La dialectique de l'unité et de la diversité — chère à un Teilhard de Chardin — préside donc au dynamisme des nombres.

L'arithmologie ne considère pas les nombres isolément mais comme une seule « trame » vivante — image de *l'unité dans la diversité*, c'est-à-dire, en langage philosophique ou artistique, une image de *l'harmonie* — qui permet de concevoir la synthèse et la coordination d'éléments apparemment épars et divers : dans le labyrinthe de la multiplicité infinie, l'unité, en tant que « mesure » de base, est le fil d'Ariane qui permet de retrouver le principe unique et l'harmonie d'ensemble.

Les nombres constituent les cellules — ou les *modes* — de l'infini. La suite des nombres n'est jamais appréhendée dans sa totalité, car on ne peut, intellectuellement, appréhender l'infini global...

Prendre en considération tel ou tel nombre, c'est focaliser l'attention sur un point — ou un ensemble de points — parmi une multitude. Tout dénombrement est une tentative d'analyser une globalité — mouvante — qui reste insaisissable.

L'attention est, selon Gérard Cordonnier, « une faculté en germe, comme le grain de sénevé « la plus petite des semences » dit l'Evangile, qui peut croître et devenir un grand arbre... L'attention d'abord « ponctuelle », s'étend ensuite à plusieurs points au lieu d'un seul, puis s'épanouit en « dimensions » nouvelles... Il y a là un « talent » à faire fructifier, et c'est là un secret essentiel que malheureusement on ne nous enseigne pas, car nous avons des professeurs et non des « maîtres » (revue *Planète* n° 2). »

La définition conventionnelle et utilitaire d'un nombre serait la *dénomination d'un ordre ou d'une quantité,* tandis que la définition traditionnelle et numérologique serait plutôt l'*instantané d'un mouvement.* Le nombre est dynamique, donc, par lui-même, par sa tendance à la transformation et par son appartenance à une chaîne vivante, qui est la trame numérique de l'univers en mouvement.

Le mouvement du Un au Multiple correspond au dynamisme de *création* ; il est involution du point de vue spirituel, évolution du point de vue matériel. « Plus un nombre est grand, plus il est éloigné de l'Unité, plus il représente une force ou une chose s'approchant de la matière ou matérialisée » (Terestchenko).

Il y a une certaine fascination, une facilité, une attirance à porter son regard vers la multiplicité, la diversité. C'est ce qu'on appelle la dispersion — le « divertissement » au sens pascalien.

Dans le sens inverse, la perception de l' « Unique » requiert de l'attention et de la concentration.

Le mouvement du Multiple vers le Un correspond au dynamisme de *réintégration* ; il est évolution du point de vue spirituel, involution du point de vue matériel (le langage philosophique moderne n'a retenu que le sens matériel des mots *évolution* et *involution* — les utilisant dans un ordre d'idées complètement étranger à la conception gnostique).

Le double mouvement de création et de réintégration est, selon la Tradition, l'image de tous les phénomènes de l'Univers. On peut le symboliser par deux triangles enlacés qui constituent le « Sceau de Salomon » (qui figure encore de nos jours sur le drapeau d'Israël) : c'est un des symboles les plus connus de l'ésotérisme :

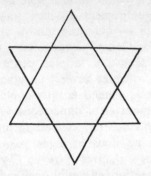

(Le sommet d'un triangle est constitué d'un point unique. Le côté opposé est constitué d'une infinité de points. Un triangle permet donc de visualiser ce déploiement du 1 vers l'infini, ou cette concentration de l'infini vers l'unité.)

Pour entreprendre sans danger un voyage dans l'infini, il faut être sérieusement immunisé contre le vertige. Cantor (1845-1918), qui inventa les nombres transfinis, en perdit peut-être la raison.

Le nombre transfini (désigné par la lettre hébraïque *aleph* : ℵ) sert à comparer des infinis : par exemple, l'ensemble des nombres premiers et l'ensemble des nombres entiers naturels. Il y a, contre les apparences, « autant » d'éléments — c'est-à-dire une infinité — dans le premier et le second ensembles. De même il y a autant de points dans un segment de droite que dans une droite.

Ces comparaisons sont-elles stériles ? D'un point de vue purement pratique, peut-être, mais des horizons insoupçonnés sont ouverts à la pensée.

Ainsi, le nombre transfini représente non seulement une quantité, mais une qualité absolues. Il est évident que l'on ne retranche rien ni n'ajoute rien à un absolu, qui reste toujours égal à lui-même. Quoi qu'on lui prenne, il s'autorégénère ($\infty - 1 = \infty$) ; quoi qu'on lui donne, tout se fond en lui ($\infty + 1 = \infty$) : toutes les fantaisies lui sont supportables.

Les nombres transfinis sont d'essence métaphysique. L'univers matériel, lui, ne semble pas « transfini », bien qu'on ne puisse pas exactement le considérer comme « fini » : rien ne prouve que l'univers s'arrête au « monde physique ».

Au IIIe siècle avant J.-C., Archimède disait que l'Univers pouvait contenir 10^{63} grains de sable. Vingt-trois siècles plus tard, Arthur Eddington émit l'hypothèse que l'Univers pouvait contenir 10^{80} nucléons.

Or, 10^{63} grains de sable et 10^{80} nucléons représentent, à « peu » de chose près, un même ordre de grandeur.

Si l'idée d'infini est insaisissable (d'autant qu'il y a une infinité d'infinis possibles), les nombres cosmiques (d'Archimède ou d'Eddington) présentent une simplification considérable, et sont plus facilement concevables. Ils nous laissent néanmoins rêveurs...

Les astrophysiciens pensent qu'il existe un minimum de 100 milliards d'étoiles dans notre galaxie. Ils supposent également l'existence de 10 à 100 milliards de nébuleuses — plus ou moins importantes — dans l'ensemble du Cosmos (on ne peut en observer, depuis notre Terre, « que » 500 millions — avec nos moyens actuels) — représentant une masse de 10^{54} grammes ! Ce qui donnerait le chiffre (très) approximatif de 1 000 000 000 000 000 000 000 = 10^{21} soleils dans tout l'univers.

Une proportion moindre de ces étoiles posséderait un système planétaire, et une proportion encore moindre posséderait une planète analogue à la Terre. F. L. Boschke admet la possibilité d'existence dans l'Univers d'au moins 1 000 000 000 000 000 = 10^{15} « Terres ». A partir de ces chiffres, en faisant la part d'évolutions différentes et de facteurs physiques inconnus, il n'est pas interdit de penser que des milliards d'astres peuvent « porter une forme de vie analogue à celle que nous connaissons. Quant aux autres, il n'est pas exclu qu'ils hébergent des formes de vie et de métabolisme très différents des nôtres » (*Les sept jours de la Création*, R. Laffont).

Entre l'infiniment petit et l'infiniment grand — qui sont des limites absolues (dont les nombres infinitésimaux sont une « approche » théorique) — les dimensions du monde de la physique moderne, du « champ spinoriel » aux supergalaxies, se mesure entre 10^{-13} et 5×10^{24} centimètres, c'est-à-dire entre : 0,000 000 000 000 1 et 5 000 000 000 000 000 000 000 000 cm.

Si nous « rêvons » dans l'espace, nous pouvons aussi « rêver » dans le temps. A partir de l'étude d'éléments radioactifs décelés dans certaines météorites, on a pu affirmer que l'âge de certains fragments de matière cosmique est d'environ 4 950 millions d'années — à 150 millions d'années près. Ce chiffre donnerait donc l'âge *minimum* de l'Univers, en fait évalué à plus de 10 milliards d'années, soit plus de 10^{17} secondes. L'astronome américain George Abell, après avoir étudié les galaxies pendant treize ans, va même jusqu'à donner à l'Univers, de 15 à 25 milliards d'années d'âge...

A l'autre bout de l'échelle du temps, certains atomes rares ne vivent qu'une fraction infinitésimale de seconde. Parmi les particules élémentaires de l'atome, le *méson* π^- a une durée de 10^{-16} seconde.

Parmi les différents itinéraires en direction de l'infiniment grand, on trouve diverses progressions dont les plus utilisées, en mathématiques, sont :

— les fonctions linéaires : n, 2n, 3n, etc., qui peuvent se résumer à la progression arithmétique des nombres et à la table de multiplication (de 1 à ∞ !) ;

— les fonctions puissances n^2, n^3, etc.

— les fonctions exponentielles, dont la croissance se fait selon une *progression géométrique*. Une des plus célèbres applications de fonction exponentielle est celle rapportée par une légende concernant le jeu d'échecs. Un puissant souverain, à qui le jeu avait été enseigné, voulut remercier son inventeur par une royale récompense. Ce dernier demanda donc que l'on mette un grain de blé sur la première case du jeu, deux grains sur la seconde case, quatre sur la troisième, et ainsi de suite — en doublant le nombre de grains à chaque case — jusqu'à la 64ᵉ... Le souverain estima d'abord qu'il s'agissait d'un don ridicule, mais pâlit vite quand ses ordres furent mis à exécution : il aurait fallu réunir $2^{64} - 1$ soit 18 446 744 073 709 551 615 grains, autrement dit plusieurs centaines de trillions de tonnes de blé...

— les fonctions factorielles, n ! et n^n dont les progressions sont particulièrement spectaculaires. Par exemple :

$$1 \ ! \ = \ 1$$
$$2 \ ! \ = \ 1.2 \ = \ 2$$
$$3 \ ! \ = \ 1.2.3 \ = \ 6$$
$$5 \ ! \ = \ 1.2.3.4.5 \ = \ 120$$
$$10 \ ! \ = \ 1.2.3.4.5.6.7.8.9.10 \ = \ 3\,628\,800$$
$$1^1 \ = \ 1$$
$$2^2 \ = \ 4$$
$$3^3 \ = \ 27$$
$$5^5 \ = \ 3\,125$$
$$10^{10} \ = \ 10\,000\,000\,000$$

Le nombre de combinaisons possibles entre les 26 lettres de l'alphabet est égal à 26 ! soit $1 \times 2 \times 3 \times 4 \times \ldots \times 25 \times 26$. C'est déjà un nombre considérable (faites le calcul...).

Mais le nombre de mots qu'il est possible de composer à partir de cet alphabet (en limitant notre dictionnaire à des mots de 1 à 26 lettres) est égal à $26 + 26^2 + 26^3 + 26^4 + \ldots + 26^{25} + 26^{26}$. (Etes-vous en possession d'un bon ordinateur ?)

C'est une liste colossale, qui inclut, non seulement tous les dictionnaires existant en alphabet romain, mais toutes sortes de dictionnaires en diverses langues qui ont cessé d'exister, qui n'existent pas encore ou qui n'existeront jamais !

Le théosophe britannique A. E. Powell avance des chiffres étonnants, en déclarant que l'évolution — sur le plan spirituel — se fait selon une progression — ni arithmétique ni géométrique mais « transcendante » — selon le rapport : 2, 4, 16, 256, 65 536, 4 294 967 296, ...

C'est une progression de type : n, n^2, n^4, n^8, n^{16}, n^{32}, etc. « C'est par de tels nombres, écrit-il, que la nature accomplit ses vastes desseins. » (*Le Système solaire,* éd. Adyar, 1932.)

Nous pourrions en établir de plus vertigineuses encore, tout en restant dans les limites de ce qu'il est possible d'accomplir à partir d'une unité démultipliée.

3

La vision des nombres

Les nombres, qui en soi sont des principes abstraits indépendants de leur représentation, ne croisent pourtant le chemin de notre compréhension que s'ils s'habillent d'une réalité spatiale — qui nous rappelle la réalité physique (et que l'on retrouve effectivement — plus ou moins parfaitement — dans l'étude du monde physique).

« La géométrie ne peut définir ni le mouvement, ni les nombres, ni l'espace ; et cependant ces trois choses sont celles qu'elle considère particulièrement », écrivait Pascal.

La géométrie analytique, la géométrie infinitésimale, la mécanique rationnelle analytique, etc., sont des sciences de la synthèse du Nombre et de l'Espace, mais restent du domaine de l'abstrait.

On peut imaginer le nombre — ainsi que n'importe quel principe abstrait — comme une réalité tangible : on peut, sinon le matérialiser, du moins le *visualiser*.

Les pythagoriciens représentaient les nombres simples sous forme de dispositions de points dans l'espace, sans doute par analogie avec la disposition des étoiles (cette « arithmo-géométrie » prise comme support de divination peut être considérée comme un des ancêtres de la « géomancie »). Ce qui leur permettait de distinguer, outre le nombre ponctuel unique : [·] et qui appartient à toutes ces familles dont il est l'ancêtre commun :

— les nombres *linéaires* :

  · · · (3)

 · · · · · (5)

— les nombres *plans*, dont :

— les nombres *triangulaires* (ou *trigons*) :

$$(6 = 1 + 2 + 3)$$

$$(10 = 1 + 2 + 3 + 4)$$

Cette dernière figure est le « *tetraktys* » (dont nous reparlerons).

Le principe de cette disposition en triangle — que l'on appelle *addition théosophique* — permet de déterminer, en numérologie, la *valeur secrète (vs)* d'un nombre, c'est-à-dire « le total de ce qu'il contient d'apparent et de caché » *. Par exemple, le nombre 4 contient : 1, 2, 3 cachés et 4 apparent. Leur somme est égale à $1 + 2 + 3 + 4 = 10$. On écrira : $vs4 = 10$.

D'une façon générale, on peut calculer la valeur secrète d'un nombre — qui est une conséquence et une illustration de la genèse des nombres et de leur dynamisme — selon la formule :

$$vs\, n = n\frac{n + 1}{2}$$

— Les nombres *carrés* :

$$(4)$$

$$(9)$$

Une curieuse propriété géométrique permet d'obtenir un nombre carré en ajoutant à un autre carré un nombre impair « en équerre » :

$$2^2 + 5 = 3^2$$
puis :
$$3^2 + 7 = 4^2$$
$$4^2 + 9 = 5^2$$
$$5^2 + 11 = 6^2 \quad \text{etc.}$$

$$(3^2)$$

$$(4^2)$$

* Raymond Abellio, *La Bible document chiffré. Essai sur la restitution des clefs de la science numérale secrète.* Gallimard, 1949. Toutes nos citations de cet auteur proviennent de ce même ouvrage fondamental de référence.

On a : $a^2 + n = b^2$ tel que $a + b = n$ et $b = a + 1$ (donc : $2a + 1 = n$).

En grec, on appelle *gnomon* un nombre à partir duquel on peut former un autre nombre de même « famille ». Ce mot signifie : *celui qui sait* et *celui qui indique*. (On n'a retenu, en français, que cette dernière signification, dans le sens d'une *aiguille* de cadran solaire qui *indique* l'heure diurne — il peut aussi désigner le cadran lui-même.)

Dans l'exemple $a^2 + n = b^2$, on dit que $n = 2a + 1$ est le *gnomon* de a^2.

On peut aussi « fabriquer » des nombres carrés (C) à partir de nombres triangulaires (T) qui en seront alors les *gnomons* :

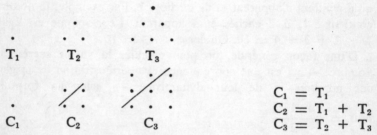

$$C_1 = T_1$$
$$C_2 = T_1 + T_2$$
$$C_3 = T_2 + T_3$$

En géométrie, on dit également que le carré est le *gnomon* du rectangle d'or — puisque l'on peut construire cette dernière figure à partir de la première.

— les nombres *oblongs* :

     (6)   (12)

(que l'on peut comparer aux figures géomantiques).

— les nombres *solides* ou *cubiques* :

(voir page suivante)

(On retrouve ce type de structure, en stéréochimie, pour la représentation de certaines molécules.)

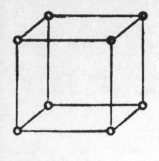

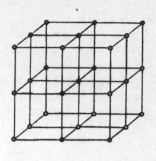

$2^3 = 8$ $3^3 = 27$

(Ces derniers nous intéressent dans la mesure où ils nous permettent de sentir ce que donnerait une numérologie [et une géomancie] sur 3, ou sur n dimensions.)

Cette conception « ponctuelle » de l'espace géométrique fut contestée par Zénon d'Elée (490 av. J.-C.), qui voyait dans la théorie pythagoricienne une contradiction de taille : d'une part on affirmait l'unité indivisible, d'autre part on pratiquait la divisibilité à l'infini. Ses fameuses démonstrations montrant qu'une flèche ne pouvait jamais atteindre sa cible, et que la tortue ne pouvait pas être battue à la course par Achille, n'étaient qu'une façon de prouver par l'absurde l'impossibilité apparente de la conception de Pythagore. (On doit rendre cette justice : Zénon ne niait pas la réalité, il ne faisait que nier une théorie qui lui semblait fausse : c'est un des premiers exemples dans l'histoire des sciences où le « raisonnement », pour impeccable qu'il soit, est battu en brèche par la vérité des choses.)

Pourtant, en stricte géométrie, on sait que l'on peut diviser n'importe quelle aire ou volume en une infinité de points (vérité géométrique qui affola Cantor...).

Cela rappelle un autre problème très semblable : longtemps deux théories de la structure de la lumière se sont affrontées : l'une « corpusculaire » (donc ponctuelle), l'autre « ondulatoire » (donc continue) — jusqu'à ce que Louis de Broglie découvre que les deux étaient non seulement compatibles, mais indissociables...

La considération de figures dans l'espace permet de découvrir, entre les nombres, des relations insoupçonnées lorsqu'ils ne sont vus que de façon linéaire (ou plane).

La projection orthogonale d'une pyramide sur deux plans, par exemple, aide à saisir intuitivement la relation pythagoricienne qui existe entre les nombres 3, 4, 5 et 7.

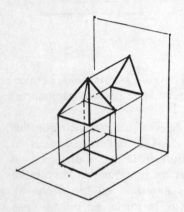

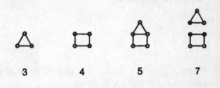

La même relation « ponctuelle ».
(ci-dessus)

Autre exemple : considérons les cinq polyèdres réguliers convexes :

Le tétraèdre possède : · 4 faces triangulaires (symbole : 4 × 3)
6 arêtes
4 sommets

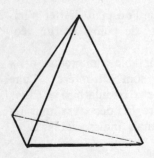

Le cube possède : 6 faces carrées (symbole : 6 × 4)
12 arêtes
8 sommets

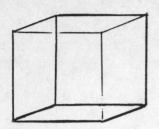

L'octaèdre possède : 8 faces triangulaires (symbole : 8 × 4)
12 arêtes
6 sommets

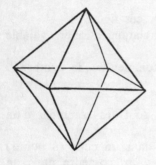

Le dodécaèdre possède : 12 faces pentagonales
(symbole : 12 × 5)
30 arêtes
20 sommets

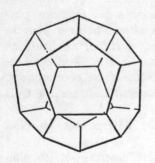

L'icosaèdre possède :

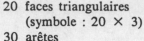

20 faces triangulaires
(symbole : 20 × 3)
30 arêtes
12 sommets

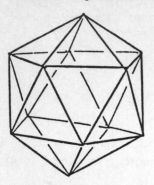

On peut déduire diverses relations entre ces figures :

D'abord une loi constante, nommée relation d'Euler, valable pour chacun de ces polyèdres :

le nombre de faces + le nombre de sommets = le nombre d'arêtes + 2

Ensuite, on constate que :

— les centres des faces d'un tétraèdre sont les sommets d'un autre tétraèdre (4 points) ;

— de même, un octaèdre peut s'inscrire dans un cube (8 points) et un cube dans un octaèdre (6 points) ; un icosaèdre dans un dodécaèdre (12 points) et un dodécaèdre dans un icosaèdre (20 points).

L'icosaèdre avait particulièrement retenu l'attention des pythagoriciens, car il symbolise l'ensemble des relations possibles de l'homme avec l'espace. En effet, l'homme peut se mouvoir dans six directions : devant, derrière, en haut, en bas, à gauche et à droite — formant trois axes — d'intersection O — à partir desquels les mouvements se coordonnent. Ces trois axes, pris deux à deux, donnent naissance à trois plans :

— les axes haut-bas et droite-gauche déterminent un plan « frontal » ;

— les axes haut-bas et devant-derrière déterminent un plan « perpendiculaire » ;

— les axes droite-gauche et devant-derrière déterminent un plan « horizontal ».

Les six directions coupent une sphère de centre O en six

points qui sont les sommets d'un octaèdre. (Une *septième* direction peut être considérée : le centre. La *concentration* n'est autre que le mouvement vers *l'intérieur*) :

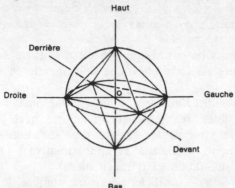

Ces trois plans se rencontrent donc en O, et leur intersection détermine quatre angles sur chacun des plans, soit $4 \times 3 = 12$ angles, dont les bissectrices couperaient la sphère de centre O en douze points, qui sont les sommets d'un icosaèdre.

Plusieurs méthodes de danse *sacrée et initiatique* sont fondées sur l'icosaèdre, notamment celle du chorégraphe Rudolf Laban. « Le corps vit cette danse du centre de l'icosaèdre en méditation active du cosmos et se pénètre ainsi de l'esprit qui l'anime et le gouverne » (M. L. Van Veen, *La danse du zodiaque*).

Revenons aux nombres considérés sur une ligne (ou une trame) unique. Où commence et où finit un nombre ? Autrement dit : comment visualiser une « unité » sur cette ligne ? Conventionnellement, on dira que les limites régulières d'un certain ordre de grandeur définissent les « unités » (comme sur une règle graduée) :

Mais qu'appellera-t-on « unité » : le point limite entre deux intervalles, ou l'intervalle entre deux points ?

On a dit que l'intervalle représente une certaine « grandeur » : c'est l'aspect cardinal ou quantitatif du nombre. Le point définit le rythme par lequel cette grandeur se répète : c'est l'aspect ordinal ou qualitatif du nombre. Dans la mesure du temps, par exemple, on considère chaque « fuseau » horaire comptant pour la valeur d'*une* heure (en durée) ; mais on dit également : « une heure », « deux heures », etc. pour indiquer le moment exact où l'on passe d'un fuseau horaire à un autre, au « point » précis de leur *limite* commune.

Il y a toujours un « passage » nécessaire entre deux unités. La notion de limite est un artifice que l'on appelle en mathématiques une *coupure*.

Les nombres *fractionnaires* donnent une image de toutes les *coupures* possibles, réalisable sur n'importe quel point de notre ligne numérale symbolique. (Toute représentation de cette ligne est plus ou moins artificielle et approximative : elle n'est qu'un support de visualisation et d'imagination.)

On peut « isoler » artificiellement un nombre, le considérer de façon statique. Mais il sera toujours difficile, sinon impossible, de « cerner » avec rigueur ses limites infinitésimales...

Parmi ceux qui se laissent le moins facilement saisir, figurent les nombres *irrationnels* ou *incommensurables* ainsi nommés parce qu'ils n'ont pas de commune mesure avec l'unité. L'utilisation de ces « entités mathématiques » est fréquente, bien qu'elles n'aient pas leur place dans l'arithmologie des nombres simples.

L'hypoténuse d'un carré de 1 cm de côté est égale à $\sqrt{2}$ cm, nombre dont il faudrait calculer les décimales jusqu'à un infiniment petit se rapprochant de la *coupure* exacte (mais incommensurable) déterminée par cette valeur.

$\dfrac{1}{7}$ est un autre nombre irrationnel — n'ayant pas de commune mesure entre numérateur et dénominateur — dont les décimales se répètent sans fin, selon une périodicité régulière :

$$\frac{1}{7} = 0,142857\ 142857\ 142857...$$

Les multiples simples (de 1 à 6) de cette période : 142857 ont la propriété de conserver les mêmes chiffres, dans un ordre constant (seule la première décimale diffère, selon la progression croissante des multiples) :

$$\frac{2}{7} = 0,285714...$$

$$\frac{3}{7} = 0,428571...$$

$$\frac{4}{7} = 0,571428... \qquad \frac{7}{7} = \frac{6}{7} + \frac{1}{7} = 0,999999...$$

$$\frac{5}{7} = 0,714285...$$

$$\frac{6}{7} = 0,857142...$$

On n'a pas toujours besoin, dans les calculs utilisant ces nombres, d'en connaître toutes les décimales, *ad infinitum*. On se contente souvent d'une approximation suffisante pour les applications concrètes. Mais la construction géométrique d'un nombre irrationnel est, dans de nombreux cas, plus probante et significative que sa valeur numérale.

Ainsi en est-il du *nombre d'or* — appelé aussi *section d'or* ou *proportion dorée*.

Considérant trois points A, B, C, sur une ligne droite, il se détermine selon le rapport : $\dfrac{AB}{BC} = \dfrac{BC}{AC}$

$$
\begin{array}{ccc}
\text{A} & \text{B} & \text{C} \\
\vdash\! & \!\!\!\!\!\!\!\!\!\! & \dashv
\end{array}
$$

Le chiffre φ *(phi)* de ce rapport, est défini par les deux racines d'une équation du second degré :

$$k = \frac{1 \pm \sqrt{5}}{2}$$

Soient : $\varphi \ = : \ 1,618\ 033\ 988\ 75...$

et $\ \dfrac{1}{\varphi} = : \ 0,618\ 033\ 988\ 75...$

Parente de la notion de coupure, mais sur un plan dynamique, la notion de limite infinitésimale est également illustrée par certains nombres algébriques variables qui ont la particularité de tendre vers une valeur fixe connue (mais souvent insaisissable telle que 0 ou ∞).

Newton écrivait : « Les nombres infinitésimaux sont des qualités ni nulles, ni finies mais fluentes, évanouissantes, mouvantes... » Ce sont, autrement dit, des « nombres en mouvement », ce qu'illustre bien la courbe qui les représente.

Une idée concrète en est donnée (approximativement) par la courbe des records sportifs (bien qu'elle soit irrégulière, donc difficile à mettre « en équation ») : le chiffre des épreuves de vitesse tend vers le 0, celui des épreuves de distances (longueurs, hauteurs, etc.) tend vers ∞. Ces limites sont « pratiquement » impossibles à atteindre, mais c'est leur possibilité « théorique » qui donne un sens à la compétition. (Une limite *immobile* et *absolue* donne sa signification au *mouvement* : ce n'est pas la moindre conclusion philosophique que l'on puisse tirer de l'étude des nombres !)

« Je ne crois pas aux mystères des nombres simples, note Jacques Bergier, car les rapports fondamentaux de l'Univers paraissent s'exprimer au moyen des rapports des nombres transcendants tels que *e* ou *pi*. »

Le nombre *e* (initiale d'*exponentielle*) est égal à :

$$1 + \frac{1}{1!} + \frac{1}{2!} + \frac{1}{3!} + ... + \frac{1}{n!} ...$$

soit une approximation de : 2, 718 281 828 459 045 235 360 287...
Ce nombre est fréquemment utilisé, en physique notamment, comme base des logarithmes népériens. On appelle transcendant un nombre irrationnel qui n'est racine d'aucune équation algébrique à coefficient entier ou rationnel.

Les pythagoriciens — qui préféraient jongler avec les nombres entiers, plus faciles à visualiser clairement — ne méconnaissaient certainement pas les nombres incommensurables (puisque c'est eux qui inventèrent cette notion) ni les nombres transcendants tels que *pi,* mais ils les considéraient probablement comme mystères appartenant au domaine divin, inconnaissable par les voies purement rationnelles (symbolisées par l'équerre) mais perceptible par l'intuition (symbolisée par le compas). Les lois du monde visible — réductibles à des formules mathématiques — étaient *de toute façon* tenues pour divines. (Des problèmes fameux, comme la *quadrature du cercle,* la *duplication du cube,* la *trisection de l'angle,* résolus algébriquement par les nombres : π, $\sqrt[3]{2}$ et cos 40°, n'ont jamais pu, apparemment, être résolus géométriquement, par « l'équerre et le compas ». L'Académie des sciences refuse d'ailleurs d'homologuer toutes les démonstrations relatives à ces trois problèmes : les éventuelles « trouvailles » restent donc sans publicité.)

Louis de Broglie explique : « [...] L'on constate que les nombres entiers interviennent fréquemment dans les calculs d'orbite. Cela m'avait beaucoup frappé. Je m'étais dit : " On rencontre des nombres entiers dans la théorie des ondes chaque fois qu'on se trouve en présence d'interférences. Cette présence des nombres entiers ne traduit-elle pas également un phénomène ondulatoire ? " J'en suis venu ainsi à envisager la double nature ondulatoire et corpusculaire de l'électron » (*Science et Avenir,* janvier 1974).

C'est ainsi que les nombres simples sont à l'origine d'une des découvertes fondamentales de ce siècle.

Et comment expliquer, par ailleurs, la présence des nombres entiers dans la structure chimique des atomes : H_1, He_2, Li_3, etc. ?

Boris Rybak (à qui nous laissons la responsabilité de ses définitions), disait : « [...] Il y a un inaccessible néanmoins utilisable (ce que j'appelle les transcendants légaux : par exemple le nombre *pi*) et un accessible inutilisable (ce que j'appelle les transcendants quelconques). Dieu est un transcendant quelconque » (*Le Monde,* 25-1-1975).

Les nombres simples sont des accessibles utilisables. *Transcendants* dans leur principe (comme les « idées » de Platon), ils trouvent leur plein emploi sur un plan *immanent,* c'est-à-dire bien concret.

« Les idées de nombre sont les plus claires, les plus évidentes, les plus exactes, les plus distinctes et ... elles sont les mesures communes de toutes autres choses que nous pouvons connaître », écrivait Malebranche dans sa *Recherche de la vérité.*

Cette affirmation est restée théoriquement vraie, à travers toutes les métamorphoses de notre représentation du monde, de Pythagore à Einstein...

4

L'Univers mathématique
(de la physique à la métaphysique)

De tous temps, les hommes de science furent d'accord pour constater et dire qu'une certaine cohérence régnait dans l'Univers, et ils essayèrent progressivement d'en dégager les lois essentielles.

Depuis la plus haute Antiquité on considéra le monde comme un édifice mathématique, dont l'harmonie ne pouvait être, naturellement, que d'essence divine.

D'après la Bible, Dieu a réglé toutes choses « selon le nombre, le poids et la mesure »... (Sg 11, 20.)

Pythagore concevait un Dieu géomètre. Toutes choses, selon lui, étaient nombres, et tout nombre était divinité.

Plus près de nous, Leibniz affirmait : « Tandis que Dieu calcule et exerce sa pensée, le monde se fait... » et dans sa conviction, il ajoute : « L'athée peut être géomètre mais ne sait pas ce qu'est la géométrie. »

« Tout ce que la nature a arrangé systématiquement dans l'Univers paraît, dans ses parties comme dans l'ensemble, avoir été déterminé et mis en accord par le nombre, par la prévoyance et la pensée de Celui qui créa toutes choses. » Ainsi s'exprime Nicomaque de Gérase dans son *Introduction à l'arithmétique.*

Le pape Pie XI leur fait écho : « L'Univers n'est si resplendissant de divine poésie, que parce qu'une divine mathématique, une divine combinaison des nombres règle ses mouvements... »

De fait (et indépendamment de toute métaphysique), la nature montre dans ses moindres détails qu'elle est une merveilleuse mathématicienne. On démontre, par exemple, que la disposition des feuilles, autour d'une tige, pour que leur ensoleillement soit maximal, doit correspondre à un angle x d'intervalle entre deux feuilles consécutives, tel que

$$\frac{x}{360 - x} = \frac{360 - x}{360} \qquad \left(\frac{x}{360°} \text{ est égal à } 2 - \varphi\right)$$

(Il existe une science botanique consacrée à l'étude de la disposition des feuilles : la *phyllotaxie*. Le principe selon lequel : $x = (2 - \varphi)360° = 137°,520$ s'appelle loi de Wiener — formulée en 1875.)

La nature sait utiliser « spontanément » cette équation du *nombre d'or* $\left(\varphi = \dfrac{1 + \sqrt{5}}{2}\right)$ que, par ailleurs, Fibonacci [*], au XIIIᵉ siècle, mit en évidence à propos d'un problème de prolifération des lapins, et que l'on retrouve dans la plupart des processus de croissance. Diverses espèces de coquillages ont une forme de spirale logarithmique (définie par φ), ainsi d'ailleurs, qu'un certain nombre de galaxies...

La suite numérique dite « de Fibonacci », qui ne comporte que des nombres entiers, croît selon un rapport proche de φ :

$$1 + 2 = 3 \,;\, 2 + 3 = 5 \,;\, 3 + 5 = 8 \,;\, 5 + 8 = 13, \text{ etc.}$$

$$\left(\frac{3}{2} = 1,5 \,;\, \frac{5}{3} = 1,666... \,;\, \frac{8}{5} = 1,600 \,;\, \text{ etc. } \varphi = 1,618...\right)$$

D'abord retenu par la nature pour des raisons utilitaires, le *nombre d'or* se révèle également avoir des propriétés harmonieuses, dans l'ordre de l'esthétique. Ce qui semblerait prouver, en l'occurrence, que la *beauté* est d'abord *intelligence*...

L'Art imite la nature, non nécessairement en la « plagiant », mais en s'inspirant des mêmes principes. Considérée comme un canon d'harmonie, la section d'or fut largement exploitée par les « beaux-arts ». De nombreux édifices antiques — temples, pyramides, etc. — étaient construits selon ses proportions.

Mais les sculptures cybernétiques de Nicolas Schöffer sont également conçues selon le nombre d'or, non seulement dans les proportions de chacun des éléments qui les composent, mais également dans le *rythme* de leurs mouvements. Il en résulte une impression générale d'harmonie, d'équilibre bienfaisant.

---

[*] Léonard Bonacci, de Pise — surnommé Fibonacci — célèbre géomètre italien né vers 1175, mort à une date inconnue. On lui doit deux innovations : — l'application de l'algèbre à la géométrie ; — l'introduction en Europe des chiffres « arabes », qu'il rapporta d'un voyage à Alger.

*
**

Pythagore disait que le mouvement des astres — donc celui des planètes — était accompagné de sons musicaux, faisant du ciel un véritable « chœur » d'harmonie. C'est ce que l'on a appelé la *musique des Sphères*.

Il fallut attendre Kepler (1571-1630), qui consacra la moitié de sa vie à chercher le rapport entre le mouvement des planètes et une harmonie musicale (et formula, au passage, de nombreuses découvertes qu'il ne cherchait pas spécialement), pour découvrir que les vitesses angulaires des planètes sont, au périhélie et à l'aphélie *, très exactement dans un rapport de nombres simples et entiers. En partant de Saturne, les six planètes connues à l'époque donnaient — selon les intervalles musicaux suggérés par ces nombres — la gamme majeure en considérant le périhélie et la gamme mineure en considérant l'aphélie.

Kepler ne voit d'autre finalité à cette harmonie que « l'ornement du monde ».

Outre la vitesse et l'orbite des planètes, leur distance au Soleil semble répondre à certaines lois.

Jean-Elert Bode (astronome allemand né à Hambourg en 1747 et mort à Berlin en 1826) découvrit une formule qui semble rendre compte assez exactement des distances *(d)* des planètes, en fonction de leur ordre, par rapport au Soleil (et en prenant la Terre pour unité) :

$$d = \frac{4 + (3 \times 2^{n-1})}{10}$$

n étant le numéro d'ordre des planètes : Mercure : 0, Vénus : 1, Terre : 2, Mars : 3, etc.

Décomposée, la formule nécessite les opérations suivantes :
On prend la suite des puissances successives de 2 :

0	1	2	4	8	16	32	64	128

multipliées par 3 :

0	3	6	12	24	48	96	192	384

auxquelles on ajoute 4 :

4	7	10	16	28	52	100	196	388

---

* *Périhélie* : point de l'orbite d'une planète le plus proche du soleil ; *aphélie* : point le plus éloigné.

et que l'on divise par 10 :

0,4	0,7	1	1,6	2,8	5,2	10	19,6	38,8
Mercure	Vénus	Terre	Mars		Jupiter	Saturne		

On voit qu'il manque la planète correspondant à la distance 2,8. Cérès (découverte en 1801) et toute une ceinture d'astéroïdes occupent approximativement cette place (2,7). Uranus est à 19,22. Mais Neptune (30,11) et Pluton (39,6) ne répondent plus, même de loin, à la formule de Bode. Il n'est évidemment pas exclu que certains événements cosmiques, ayant « ébranlé » le système solaire, soient à l'origine de cette irrégularité.

Toujours est-il que Stephen H. Dole — en collaboration avec la Rand Corporation (Santa Monica, Californie) — tenta, il y a quelques années, une simulation par ordinateur de la formation du système solaire. Il retrouva, à peu de chose près, la série de Bode : une planète devrait occuper la place 2,8 entre Mars et Jupiter.

Deux siècles après J. E. Bode, S. H. Dole avait la confirmation cybernétique que « Dieu ne joue pas aux dés », selon le mot d'Einstein.

Certains chercheurs ont pu voir des rapports numériques dans les proportions du corps humain — correspondant à des accords musicaux. Ainsi, la distance du talon au bassin, du bassin à l'omoplate, de l'omoplate au crâne, correspondrait aux accords de sixte et de quarte : do, fa, la, do.

De même, il y aurait une relation entre les distances planétaires et les dimensions corporelles : si l'on situe le Soleil à la tête et Mercure au coude, on aura Vénus au poignet et la Terre à l'extrémité du médius.

Ne parle-t-on pas de l'homme comme « microcosme, image du macrocosme » ?

Depuis Dimitri Ivanovitch Mendeleïev — chimiste russe né à Tobolsk (1834-1907) — on conçoit parfaitement une relation intime entre le nombre et la structure même de la matière.

« Le nombre atomique définit à lui seul l'espèce chimique, note D. Neroman. Par exemple 26 électrons gravitant autour de 26 positrons définissent le fer, déterminant sa substance propre, ses caractéristiques physiques et chimiques. Quand on résume cette réalité de laboratoire dans les brèves formules : fer : 26, cuivre : 29,

argent : 47, etc., que fait-on d'autre que répéter la maxime :
" Le cosmos est essentiellement un édifice arithmologique ? " »
(*La Plaine de Vérité,* éd. Sous-le-Ciel, 1951.)

Les éléments se succèdent, en effet, selon la même progression
que la « génération » des nombres entiers :

Charge positive : neutron hydrogène hélium lithium béryllium, etc.

$$0 \qquad 1 \qquad 2 \qquad 3 \qquad 4$$

(La trame de l'antimatière est constituée exactement des mêmes
éléments, mais avec une charge négative, à masse égale : anti-
hydrogène : — 1; antihélium : — 2, etc. « Arrivera-t-il un jour
que l'Univers entier disparaîtra comme dans une expression algébrique où le positif et le négatif s'annulent mutuellement sans qu'il
n'en reste rien ? » interroge F. L. Boschke.)

Il n'est pas banal de constater qu'un des vieux rêves des alchimistes, transformer le plomb en or, se résume dans le simple trans-
fert de trois unités : $Pb_{82} \rightarrow Au_{79}$.

Le principe de la périodicité des éléments permet bien d'autres
miracles. Mendeleïev avait lui-même imaginé un élément précédant
l'hydrogène, le « coronium », dont il supposait l'existence dans le
Soleil — hypothèse dont l'exactitude a été vérifiée. Par ailleurs,
il avait calculé qu'une particule, qu'il identifiait à l' « éther », devait
avoir une masse de $\dfrac{3,5}{10^{11}}$ (la masse atomique a pour unité celle
de l'hydrogène) — il la nomma newtonium en hommage à Isaac
Newton. Des particules de cet ordre de grandeur existent : la physique moderne en poursuit l'exploration.

La définition de l'atome en est d'ailleurs devenue problématique.
W. Heisenberg dit, à propos des particules élémentaires, qu'elles
« sont déterminées par des exigences de symétrie mathématique ;
elles ne sont ni éternelles ni invariables : c'est à peine si on peut
leur attribuer une réalité. Elles sont bien plus l'expression des
structures mathématiques radicales auxquelles on aboutit en divi-
sant la matière en ses plus petites parties et forment le contenu des
lois fondamentales de la nature ».

« Quant à l'atome lui-même, commente Fernand Lot, il ne peut
être symbolisé que par une équation différentielle partielle dans
un espace abstrait multidimensionnel ; toutes ses qualités ne repo-
sent que sur des interférences ; aucune propriété matérielle ne
saurait lui être directement attribuée. Ce qui revient à dire que

toute représentation de l'atome que notre imagination est capable d'inventer est de ce fait même, inadéquate : nous sommes descendus dans l'*inimaginable* » (revue *Diagrammes* n° 94 : *La Relativité*).

Walter Heitler résout simplement la question en donnant pour définition des particules de matière : « Singularités mathématiques hantant l'espace »...

Le physicien Werner Heisenberg (1895-1955), que nous citons ci-dessus, Prix Nobel 1932 pour ses travaux sur la mécanique quantique, eut l'idée de représenter l'énergie par une matrice, c'est-à-dire, au lieu d'un seul nombre, par un tableau de (m.n) nombres disposés en (m) colonnes sur (n) lignes... Il pensa que si les particules élémentaires pouvaient s'analyser et s'exprimer de cette façon, il devrait en être de même de tous les êtres physiques. L'écrivain américain Nat Schachner (1895-1955) exploita cette idée dans une étonnante nouvelle de science-fiction : *L'Homme dissocié*, où l'on voit un homme condamné à être électroniquement désagrégé — suivant la matrice le définissant ; puis, rappelé à l'existence, une inversion de calcul le projette sur d'autres dimensions...

Pour l'heure, on donne aux particules et antiparticules observées, ainsi qu'aux antiparticules théoriquement prévues, d'étranges noms (leptons, mésons, baryons, etc.) symbolisés par d'étranges signes dont voici la liste : γ ν $\bar{\nu}$ e $\bar{e}$ μ^- μ^+ π^+ π° π^- K^+ K° $\bar{K}^\circ$ K^- n p $\bar{n}$ $\bar{p}$ Λ $\bar{\Lambda}$ Σ^+ Σ° Σ^- Ξ^- Ξ° $\bar{\Sigma}^+$ $\bar{\Sigma}^\circ$ $\bar{\Sigma}^-$ $\bar{\Xi}^-$ $\bar{\Xi}^\circ$ et derrière lesquels se cachent de complexes relations mathématiques. On peut y ajouter la dernière en date, la célèbre particule *psi* (ψ).

Il est probable que les prochaines générations seront aussi familiarisées avec ces concepts que nous le sommes avec les nombres simples. On ne pensera plus « quantité », on pensera « énergie ».

*
**

Toute conception mathématique — ou numérale — de l'univers physique oblige à poser la question du rapport entre un monde purement intelligible (théories abstraites, « idées » platoniciennes...) et le monde sensible (monde des formes et de l'expérience concrète).

Il est facile — et sans doute légitime — de « marquer du sceau de l'absolu », comme dit Platon, les notions et théories purement idéales. André Gide dit que « le monde des chiffres et des figures géométriques n'existe pas il est vrai, en dehors du cerveau qui le crée, mais ce monde une fois créé par le savant lui échappe, obéit à des lois qu'il n'est pas au pouvoir du savant de modifier, de sorte que cet univers né de l'homme rejoint un absolu dont l'homme lui-même dépend... » (« L'idée-Nombre est à la fois arché-type divin créé avant la naissance du temps et suprême produit de l'homme dans le temps. » R. Abellio.)

Il serait peut-être plus exact de dire que l'homme « n'invente » rien et que son cerveau n'est qu'un « récepteur » (qu'il peut certes améliorer) qui capte des « idées » qui lui sont donc à la fois exté-rieures et intérieures (ce qui expliquerait pourquoi certaines décou-vertes importantes sont faites simultanément dans des pays différents, par des hommes qui ne se connaissent pas...).

Même si dans son scepticisme Bertrand Russel pense qu' « on peut définir les mathématiques pures comme une étude où l'on ignore de quoi on parle et où l'on ne sait pas si ce que l'on dit est vrai... » il n'en reste pas moins qu'un univers mathématique existe d'une façon cohérente, indépendamment de tout support de repré-sentation matérielle.

Personne ne nie la réalité intellectuelle de cet univers mathémati-que, mais il semble que celui-ci dépasse le simple plan intellectuel, et rejoigne un plan spirituel qui en serait la source.

Evariste Galois (1811-1832) pensait que la démonstration, en mathématiques, n'est qu'un « artifice pour arriver à justifier la connaissance intuitive ». Le rêve de Galois, de pouvoir survoler en esprit simultanément toutes les constructions mathématiques pos-sibles et percevoir leurs inter-relations, semble avoir été en partie réalisé par un autre mathématicien français : Gérard Cordonnier, qui explique lui-même son expérience (dans la revue *Planète*, n° 2) :

« Tout en aimant dessiner des figures très soignées, j'avais pris l'habitude de me représenter des figures imaginatives, les yeux fermés et, en un instant très bref, une foule de propriétés liées aux éléments de la figure surgissaient, interféraient, jouaient dans mon esprit, et me présentaient bien souvent plusieurs solutions simul-tanées. Leur évidence était pour moi aussi claire que tout détail de raisonnement... »

Ceci n'était qu'une préparation à un état de perception plus profonde :

« Mon corps sombrait dans une profonde détente, et bientôt il dormait, tandis que mon esprit libéré, resté attentif à sa contemplation, s'éveillait dans un monde purement intellectuel, où il n'y avait plus la moindre notion de son corps ni de l'espace physique [...]

« [...] L'esprit s'éveillait dans un espace intellectuel... Il ne pouvait que contempler le panorama de ses connaissances mises en ordre, et semblant échanger entre elles des ondes harmoniques... »

Par la suite, Gérard Cordonnier considéra les mathématiques comme un « tremplin » pour s'élancer, par la voie contemplative, vers la perception de « domaines invérifiables » — la vision d'un esprit omniprésent restant « en contact plus ou moins intime avec la création ».

Les importantes théories de ce mathématicien, notamment sur la géométrie des masses ponctuelles ou vectorielles (1930), rappellent comme un écho lointain les théories pythagoriciennes.

Il serait intéressant de pouvoir appliquer cette méthode d'investigation aux espaces imaginaires, afin de « percevoir » leur réalité apparemment inconcevable.

On connaît le nombre $i = \sqrt{-1}$, appelé nombre imaginaire. Ce nom est peut-être mal choisi puisque précisément on ne peut pas l'imaginer... On agit avec lui, et on l'utilise néanmoins, *comme si* sa réalité était établie. En fait ce nombre ne correspond à rien qui puisse exister dans notre univers *spatio-temporel*.

Peut-être cela vient-il du fait que, ontologiquement parlant, -1 n'existe pas par lui-même. Le négatif, d'après nos références physiques, n'est que l'absence ou l'envers du positif (comme une dette est l'envers d'une fortune, comme une mesure négative est symétriquement l'inverse de la mesure positive par rapport à un repère O : niveau de la mer, température, etc.). Imaginer la racine d'une négation est pure « vue de l'esprit »... Mais dans le monde de l' « esprit » tout est possible.

Gerald Feinberg, de l'université de Columbia, a avancé en 1968, l'hypothèse selon laquelle certaines particules qu'il nomme *tachyons* (du grec : rapide) pourraient être plus rapides que la lumière, qui reste une *limite,* un mur (à deux côtés...). L'unité de mesure pour ces particules est i — également utilisé pour l'étude de l'anti-matière. (L'étude de la « protomatière » d'où seraient issues symétriquement matière et antimatière, exige d'imaginer un nombre encore plus complexe dont l'unité serait définie par : $\sqrt{\pm 1}$.)

Peut-être, précisément, le monde de l'antimatière et celui des vitesses plus grandes que celle de la lumière — pour lesquels les physiciens utilisent *i* comme unité de calcul — sont-ils des mondes analogues à ce que nous appelons *esprit.*

i ne doit être ni positif, ni négatif, tout en étant les deux à la fois... D'une façon imagée, on peut comparer le produit $i.i = -1$, à l'accouplement de deux entités mathématiques hermaphrodites : $\overset{+}{-}n.\overset{-}{+}n = \overset{-}{-}n$. Voilà de quoi heurter toutes nos conceptions et tous nos critères « rationnels »... La physique relance donc, d'une façon extrêmement sérieuse, la discussion sur le sexe des anges.

**
*

Les scolastiques définissaient la vérité comme *adequatio rei et intellecto,* c'est-à-dire comme une correspondance parfaite entre l'intellect et les objets observés. A leur suite, Descartes dira : « Je ne reçois en ma physique d'autres principes que ceux que je reçois en mathématiques » ; et Hegel : « Il n'y a de réel que le rationnel et il n'y a de rationnel que le réel. »

A la suite de Galilée, qui voyait dans le monde « un livre écrit en langage mathématique », et Brunschvicg, « un réseau d'équations et de fonctions », on a pu considérer la physique moderne comme une lecture expérimentale de la structure mathématique du monde.

« Les analystes qui ont travaillé presque à l'infini les espaces abstraits, note Gaston Bachelard, ne pouvaient guère s'attendre à ce que la physique utilisât un jour leurs travaux. Il est curieux que les outils mathématiques soient presque toujours forgés avant qu'on en puisse prévoir l'emploi. Ce fut le cas pour la courbure de Riemann, pour les matrices d'Hermitre, pour les groupes de Galois. » Déjà, les sections coniques décrites par les anciens ne servirent que beaucoup plus tard, à Newton et Kepler pour l'étude des planètes.

On a pu prévoir, mathématiquement, des lois physiques avant qu'elles soient vérifiées expérimentalement. La diffraction des électrons, d'abord prévue par de Broglie, fut observée en 1927 par Davisson, Germer et Thomson. L'existence du positron, déduite algébriquement par Dirac, fut constatée trois ans plus tard par Anderson, etc.

A un tel point que la physique est devenue une recherche de plus en plus abstraite.

Pourtant, comme le rappelle W. Heitler : « Les mathématiques ne sont pas des sciences de la nature. Les théorèmes et postulats mathématiques n'ont rien de matériel et ils ne doivent pas être assimilés à des phénomènes physiques. »

Einstein, qui trouvait « incompréhensible » que le monde soit « compréhensible », écrivait : « Pour autant que les propositions de la mathématique se rapportent à la réalité elles ne sont pas certaines et pour autant qu'elles soient certaines, elles ne se rapportent pas à la réalité. »

L'histoire des sciences — jusqu'à aujourd'hui — montre qu'il y a toujours un « léger décalage » entre la parfaite théorie et la réalité. C'est d'ailleurs ce « hiatus » qui permet à la recherche de progresser.

« La loi ne correspond jamais exactement aux résultats d'expérience, explique W. Heitler, car il existe toujours des imperfections expérimentales, par exemple des forces de frottement, etc., et il n'y a pas de faits empiriques exacts, car toute mesure est inexacte. Mais pourquoi la nature physique doit-elle être mathématiquement simple ? Il n'y a pas de raison logique à cela, c'est une conviction métaphysique. » La *précision* est la plus grande difficulté dans un monde relatif en constant mouvement. Nul mathématicien et nul ordinateur n'a jamais pu, par exemple, cerner dans son absolue exactitude un nombre irrationnel (il n'en existe pas de « modèle » parfait dans la nature), et pourtant un tel nombre conditionne bien des lois physiques.

Une unité de mesure aussi universellement utilisée que le mètre a dû subir une série de modifications dans sa définition, pour se rapprocher d'une « réalité idéale » — qui n'est sans doute jamais atteinte...

La loi du 19 Frimaire an VIII de la République (10 décembre 1799), définit le mètre comme longueur égale à la dix millionième partie du quart du méridien terrestre — calculée d'après les travaux de Méchain et Delambre. On en fit un prototype étalon en platine iridié, déposé à une température constante de 0°C, au Pavillon de Breteuil à Sèvres.

On s'aperçut plus tard qu'il y avait une erreur d'environ — 0,2 mm par rapport au calcul initial. Malgré des tentatives de plus en plus précises, il n'était évidemment pas possible de corriger la définition de l'unité de base d'un système, en utilisant le même système. On chercha donc autre chose : la définition actuelle du mètre est la longueur égale à 1 650 763,73 longueurs d'onde, dans le vide, de la radiation correspondant à la transition entre les niveaux $2p_{10}$ et $5d_5$ de l'atome de krypton 86...

*
**

Quelle que soit la précision que l'on puisse atteindre, l'addition : $2 + 2 = 4$ ne reste, pour un physicien, qu'une approximation.

En fait, nous ne sommes condamnés à une perception floue de l'univers que si nous nous obstinons à y chercher des points de repère fixes, sur lesquels nous pourrions nous appuyer. Si l'on admet que tout est mouvement et rythmes, et si l'on accepte de se laisser *soi-même* conduire par ces rythmes, on ne fait plus qu' « un » avec l'univers, que l'on ne ressent plus alors le besoin, purement intellectuel, de « comprendre ». L'Univers peut être « ressenti » et « vécu », et, dans un certain sens, le symbolisme que la tradition a attribué aux nombres simples est une traduction de cette « expérience ». « Le nombre est l'expression intérieure du rythme » (Anne Osmont), et c'est un physicien qui affirme : « Notre activité psychique et le monde extérieur physique ne peuvent pas être indépendants » (W. Heitler).

Malgré l'imperfection du langage mathématique, on se débrouille très bien dans la pratique, avec des mathématiques appliquées telles que le calcul de probabilité (il est même utilisé en physique pour l'étude de phénomènes échappant, apparemment, aux lois de causalité), la statistique, la trigonométrie, la mécanique céleste, la stéréotomie, la stéréométrie, la résistance des matériaux, la mécanique des fluides, etc.

Toute la géométrie des solides et la technologie industrielle (avant l'apparition de l'énergie nucléaire) sont basées sur l'espace euclidien — valable concrètement dans les limites de l'horizon terrestre.

On se souvient des postulats d'Euclide, notamment le cinquième : « On ne peut, par un point, mener qu'une parallèle à une droite. » Il s'ensuit logiquement un espace tridimensionnel, humaloïdal (sans courbure : hyperplans), homogène (semblable en toutes ses parties), isotrope (semblable en toutes ses directions).

Il y a une analogie entre cet espace euclidien et l'espace apparent qui nous entoure, tel que nous pouvons le percevoir par nos sens. « Intuition, expérience, théorie s'interpénètrent dans l'esprit du géomètre » (M. Delachet). Mais, de même que le témoignage de nos sens nous trompe, la géométrie construite par Euclide n'est valable que dans le cadre imposé par des axiomes *choisis pour leur commodité et non pour leur véracité.* Le fait qu'on ne puisse pas démontrer certains postulats aurait dû suggérer leur « non-nécessité »...

L'axiomatique (ensemble de définitions, dans un système cohérent et indépendant, permettant la rigueur des démonstrations, déductions, constructions, etc.) est, de fait, un « abus de pouvoir » que le mathématicien, autocrate dans son propre univers théorique, peut exercer sans trop de danger.

Mais on imagine bien, en transposant — par analogie — dans la vie réelle, à quels désastres peuvent aboutir certaines « axiomatiques » appliquées par exemple sur le plan religieux, culturel ou politique... On aboutit au « totalitarisme » — sous toutes ses formes — qui tient sa force de la cohérence d'un système, sans qu'il soit jamais prouvé que ce système soit universellement valable et applicable.

Au XIXe siècle, en suivant une idée de Carl Friedrich Gauss (1777-1855), des mathématiciens « contestataires » construisirent des espaces « différents » de celui d'Euclide.

« Par un point on peut mener plusieurs parallèles à une droite. » Ainsi décidèrent Lobatchevski (1793-1856) et Bolyai (1775-1856) en créant, l'un, une géométrie « hyperbolique » et l'autre, une géométrie « elliptique ».

L'Allemand Bernard Riemann (1826-1866) choisit d'affirmer que « par un point on ne peut mener aucune parallèle à une droite » — aboutissant à une géométrie « sphérique ».

Bien avant la découverte de la Relativité, le mathématicien anglais William Kingdon Clifford (1845-1879), remarquait : « Riemann a montré que de même qu'il y a plusieurs sortes de lignes et de surfaces, il y a diverses espèces d'espaces à trois dimensions et c'est seulement par l'expérience que nous pouvons trouver à quelle sorte appartient l'espace dans lequel nous vivons. » (*Sur la théorie d'espace et de matière,* 1870.)

L'expérience a montré depuis que l'espace riemannien est bien l'*image* de l'espace sidéral. Ainsi, par exemple, chaque planète se déplace selon une ligne géodésique de la géométrie riemannienne, et la « loi de la ligne géodésique » a remplacé les lois de Newton.

On a également inventé des espaces à n dimensions définis par :
$$f(x_1, x_2, x_3, x_4, \ldots x_n) = O$$
créant ainsi des méta-géométries, qui trouveront peut-être des applications plus fécondes dans la métaphysique que dans la physique.

Le chiffre et la lettre :
de l'idée au graphisme

Le mot « chiffre » en français — et dans plusieurs autres langues — a souvent le sens de cryptogramme (écriture secrète). « Déchiffrer » signifie « casser » le chiffre (en termes techniques), c'est-à-dire découvrir le code qui permet de *comprendre* le sens d'un texte *au-delà des apparences immédiates.*

Cette signification n'est pas très éloignée de celle que l'on attribue aux symboles de l'ésotérisme. L'étude des symboles a pour but de *décrypter* la réalité cachée des choses. Or, « il n'est rien de caché qui ne doive être découvert, rien de secret qui ne doive être connu ». (Luc, 12, 2.) Mais de même qu'il faut des yeux pour percevoir la lumière du jour (et un *regard* pour discerner les êtres), de même il faut certains moyens de perception, certaines clés, pour que le sens des choses et des êtres soit aussi éclatant à notre entendement que peut l'être le soleil en plein Midi.

Déchiffrer les messages de la nature, c'est une des fonctions de la numérologie, qui, elle-même, n'est qu'un aspect de la science des symboles. Symbole (σύμβολον) signifie, en grec, « signe de reconnaissance » — à l'origine un tel signe était formé par les deux moitiés (que l'on rapprochait) d'un objet brisé. Plus tard ce mot prit le sens élargi de jeton, cachet, insigne, mot d'ordre, etc.

D'abord signe visible d'authenticité, le symbole est devenu signe visible d'une réalité qui peut être elle-même invisible (comme votre signature sur un acte notarié, par exemple, est le *symbole* de votre approbation, sans que personne puisse « voir » celle-ci positivement — sauf, peut-être, à travers d'autres *symboles* que sont les gestes et les paroles...).

Donc, si le symbole cache une signification, il *dévoile* également cette signification *à qui sait lire.*

Distinguons, provisoirement, le chiffre et le nombre :

Le Chiffre est un signe graphique représentant les notions de nombre. Il est symbole au sens d'un *outil de communication* (le signifiant).

Le Nombre est une idée (le signifié). Il y a l' « idée » au sens platonicien d'essence archétypale, *source du réel ;* mais il y a aussi l'idée au sens d'une abstraction intellectuelle qui prend forme dans l'univers mental, c'est-à-dire un *reflet du réel.*

Le « nombre outil » appartient à cette dernière sorte d'idée : c'est le nombre des mathématiques appliquées — qui exprime des lois *supposées* — parfois confirmées, parfois démenties par la nature — que l'on tend abusivement à prendre pour vérités éternelles. (Les « symboles » qui le représentent sont des « formules » conventionnelles qui n'ont de sens que dans leur champ d'application strictement délimité.)

Le « nombre archétype », au sens platonicien, pythagoricien et kabbalistique, est considéré comme la source d'une réalité subtile, qui s'exprime *vibratoirement* et s'incarne finalement dans la *forme.*

Essence, vibration, forme, graphisme : on retrouve ici le Chiffre, qui est au Nombre ce que le Corps est à l'Esprit.

Le philosophe existentialiste Karl Jaspers donne, dans son langage personnel, une définition intéressante : « Le caractère métaphysique de l'objet s'appelle *chiffre,* parce qu'il n'est pas la transcendance elle-même, mais l'expression de celle-ci. »

Le décryptage d'un symbole est une démarche complètement différente du fétichisme (dont il peut faire l'objet par ailleurs) : on se détache du « signifiant » pour s'élever vers le « signifié » ; le symbole n'est que le « support » représentatif — et, éventuellement, magiquement opératif — d'une réalité spirituelle transcendante.

On sait que toute vibration peut être numériquement définie et formulée. Et à tout nombre correspond une vibration, qui, en descendant l'échelle de la création, prend les différents aspects de la couleur (lumière), du son et de la forme.

On doit aux physiciens Ernest-Florent-Frédéric Chladni (1756-1827) et Félix Savart (1791-1841), entre autres, de curieuses expériences qui firent longtemps l'amusement des salons bourgeois. A l'aide de divers instruments sonores, on fait vibrer des plaques métalliques recouvertes d'un sable fin qui se répartit en formes géométriques suivant les lignes nodales. (Les nœuds, en physique acoustique, sont les points fixes d'une corde ou d'une surface vibrante.)

Plus récemment, ces expériences ont été développées avec un appareillage électronique, par le savant anthroposophe Hans Jenny (voir son ouvrage : *Cymatique,* Basilius Press, Bâle), dont les travaux firent l'objet d'un numéro spécial du *Courrier de l'Unesco* en 1970. Parmi les formes obtenues par Jenny, on reconnaît, avec un certain saisissement, l'esquisse de *formes organiques complexes* telles que la structure d'un coquillage ou d'un squelette...

Elles permettent de comprendre, au moins intuitivement, ce que signifie l'expression : « le Verbe créateur... »

Toute structure, toute forme, est le produit d'une ou plusieurs vibrations, d'un ou plusieurs nombres, dont les combinaisons peuvent se compliquer à l'infini.

Tous les êtres peuplant notre Univers concret sont le *graphisme* des idées créatrices d'un Dieu démiurge, dont le caractère est dévoilé par les formes qu'il déploie... (De même que la graphologie permet l'analyse du caractère d'une personne à travers son écriture, de même on devrait pouvoir déceler et analyser les motivations et les intentions du Créateur par une *graphologie universelle,* qui serait un autre nom du symbolisme.) Autrement dit : toute forme est la *transcription d'une vibration significative.*

> *Parmi dix trillions de rayons*
> *Un milliard de bibliques parchemins s'enroulent*
> *Couverts d'hiéroglyphes à la gloire de l'œuvre de Dieu*
> *En d'innombrables alphabets,*
> *En des langues qui ne sont pas des langues...* (Ray Bradbury)

« Toute méditation sur la science des nombres est aussi méditation sur l'origine du langage », affirme Raymond Abellio.

Chacun d'entre nous a l'occasion, chaque jour, de parler et d'écrire, pour exprimer sa pensée : la relation entre l'idée, le son et l'écriture ne fait pas de problème. Mais l'*origine* et la *portée* de ces rapports nous échappent peut-être.

L'idée, abstraite, dépouillée dans son extrême simplicité, n'est autre qu'un nombre (au sens d'une « relation logique ») ; le son de la parole est également un nombre, au sens d'un certain mode phonétique (vibration sonore).

L'esprit (*spir*-itus) s'exprime et communique par le souffle (re-*spir*) dont l'action produit la voix... (le « Verbe »). Le son se propage dans le plan subtil de l'air. Le graphisme est le *prolongement matérialisé de la parole :* on dit bien que les paroles s'envolent mais que les écrits restent.

Le graphisme doit suggérer le son. Il n'est pas interdit de penser que les écritures antiques aient été inventées selon un principe proche des expériences de Chladni, Savart et Jenny : c'est-à-dire que la *forme* des signes corresponde au son (ou à la vibration) qui est censé engendrer ce signe.

Les hiéroglyphes (égyptiens) et les idéogrammes primitifs (chinois) étaient considérés comme la traduction graphique d'un langage divin, mais ces signes sont davantage porteurs d'une idée que d'un son (les mêmes signes chinois, par exemple, sont compris aussi bien en Chine qu'au Japon, dont la langue est pourtant phonétiquement très différente). Une certaine altération des idéogrammes (chinois moderne) rend aujourd'hui plus difficile la perception d'une signification transcendante des signes.

Par ailleurs, il existe des symboles géométriques simples (tels les *yantras* tibétains ou hindous), qui sont l'équivalent idéographique de certains sons spéciaux (tels les *mantras*, ou sons sacrés).

D'autres langues, considérées comme sacrées et d'origine divine (ou extra-terrestre), telles que l'hébreu et le sanscrit, utilisent un alphabet phonétique (où souvent l'*idée* et le *son* se trouvent mêlés). Selon Ivar Lissner (*Civilisations mystérieuses,* R. Laffont), il semble que le premier alphabet phonétique du monde soit celui que Claude F. A. Shaeffert a découvert en 1929 sur le site d'Ugarit (vestiges de la côte phénicienne). Formée de signes cunéiformes, cette écriture différait de celle de la Mésopotamie, par le fait qu'elle ne comportait que vingt-huit signes (l'écriture mésopotamienne comporte plusieurs centaines de signes cunéiformes représentant syllabes et mots).

Parmi les Cabires — divinités de la nature auxquelles les Egyptiens, les Phéniciens, les Celtes et les Grecs rendaient un culte — se trouve Cadmos, inventeur ou promoteur de l'écriture, et son épouse Harmonie. Dans les mythologies, l'épouse d'un dieu personnalise la manifestation de sa force : le choix du nom Harmonie (en grec, *harmonia* signifie *arrangement*) est une référence à l'aspect numéral et musical de l'écriture.

Quant à l'écriture musicale proprement dite, elle procède naturellement et logiquement du nombre et du son.

Les Grecs et les Latins utilisaient, pour la notation musicale, des lettres de l'alphabet — comme pour les nombres — dont la grosseur était modifiée d'un octave à l'autre. Les Anglo-Saxons nomment toujours les notes de la gamme selon l'alphabet :

A : La, B : Si, C : Do, D : Ré, E : Mi, F : Fa, G : Sol.

(On *s'accorde selon* le A — le *La* — *première* note selon ce système. Remarquons que le signe de la clé de *Sol* est une altération stylisée de la lettre G.)

Mais dès le Moyen Age on utilisa — surtout pour le plain-chant (ou grégorien) une notation « neumatique » indiquant simplement que la voix doit monter, descendre ou tenir l'unisson. Les notes et les degrés de variation étaient supposés connus par l'usage. Pour remédier à cette imprécision, Gui d'Arezzo inventa la portée musicale, sur laquelle il échelonna les « neumes » : c'est l'origine directe de la notation musicale moderne, dont on peut dire qu'elle est purement « phonétique » et mathématiquement incontestable.

On dit que la « langue des anges » est purement musicale. De fait, l'écriture musicale transcende toutes les langues, car elle est universellement comprise et se traduit par la création d'harmonie. (Ce devrait être un langage diplomatique obligatoire...)

L'origine du graphisme des nombres est aussi ancienne que celle de l'écriture, soit qu'il y ait analogie dans leur principe, soit même qu'il y ait identité dans la forme. Par exemple les Hébreux, les Grecs, les Latins (entre autres) utilisaient leur alphabet pour compter :

On connaît les chiffres romains, selon une numération basée sur 5 et 10 (signes : I, V, X, L, C, D, M). Exemples :

I	II	III	IV	V	VI	VII	VIII	IX	X	XI	etc.
1	2	3	4	5	6	7	8	9	10	11	
			$(5-1)$		$(5+1)$	$(5+2)$	$(5+3)$	$(10-1)$		$(10+1)$	

XL	L	C	CD	D	M	MCMLXXV
40	50	100	400	500	1000	1975

(50 — 10)   (500 — 100)

Cette numération nous est encore familière, car elle figure sur de nombreux monuments, accompagne le nom des souverains, des papes, etc., et remplace les chiffres arabes dans tous les cas où l'on veut marquer une distinction.

Le système archaïque de numération grecque est moins connu :

I : unité

Π : 5   (π pour πεντα d'où le préfixe penta-)

Δ : 10   (δ pour δεχας d'où le préfixe déca-)

H : 100   (η pour ηχατον d'où vient le mot : hécatombe, sacrifice de cent têtes cornues)

X : 1 000 (χ pour χιλιας d'où le préfixe kilo-)

M : 10 000 (μ pour μγριας d'où le mot myriade, utilisé comme synonyme de multitude.

$\boxed{Δ}$: Π × Δ, 5 × 10 : 50

$\boxed{H}$: 500

$\boxed{X}$: 5 000 $\boxed{M}$ XXHHHΔΔΔΔI

$\boxed{M}$: 50 000   52 341

Ces signes figurent surtout sur les monuments. Mais dans la numération courante — du moins telle que nous la tenons des Coptes — vingt-sept signes constituent les « chiffres » grecs (ce sont les vingt-quatre lettres de l'alphabet — plus trois lettres archaïques : ϝ (digamma), ϟ (koppa), σπ (sampi : sigma + pi) — auxquelles on adjoint le signe '.) On voit qu'il s'agit d'un système décimal fondé sur neuf unités :

1 : α' (alpha)	10 : ι' (iotâ)	100 : ρ' (rô)
2 : ϐ' (bêta)	20 : χ' (kappa)	200 : σ' (sigma)
3 : γ' (gamma)	30 : λ' (lamda)	300 : τ' (tô)
4 : δ' (delta)	40 : μ' (mû)	400 : υ' (upsilonn)
5 : ε' (epsilonn)	50 : ν' (nû)	500 : φ' (phi)
6 : ϝ' (digamma)	60 : ξ' (xi)	600 : χ' (khi)
7 : ζ' (dzêta)	70 : o' (omicronn)	700 : ψ' (psi)
8 : η' (hêta)	80 : π' (pi)	800 : ω' (ômega)
9 : θ' (thêta)	90 : ϟ' (koppa)	900 : σπ' (sampi)

Les milliers se notent avec ، :,α : 1 000; ,μ : 40 000, etc.

Ce tableau peut nous être utile pour le chiffrage et la transcription numérale des noms propres d'origine grecque (selon les principes de la **guématrie**). La langue grecque est suffisamment présente dans notre culture pour que nous en rencontrions des exemples.

Il peut également nous servir à l'exégèse numérologique de certains textes. Ainsi, lorsque Jésus (qui parlait couramment l'araméen et probablement le grec — plus volontiers que l'hébreu) disait : « Je suis l'alpha et l'ôméga », on peut traduire symboliquement : « Je suis le commencement et la fin de toutes choses » et numérologiquement : α' : 1 et ω' : 800 = 801, c'est-à-dire 8 + 0 + 1 = 9, selon la symbolique des nombres : « Je suis le divin (3) manifesté dans l'Incarnation ($3^2 = 9$).

Les premiers chrétiens utilisaient le *poisson* comme signe de reconnaissance. Outre la correspondance avec le commencement de l'ère astrologique des « poissons » — qui correspond aux deux mille ans de l'ère chrétienne — *poisson* se dit en grec IChThUS (ἰχθυς), dont les lettres sont les initiales de : Iesous Christos Theou Uios Sauter, Jésus Christ Fils de Dieu Sauveur. Numérologiquement, ἰχθυς se traduit : ι = 10, χ = 600, θ = 9, υ = 400, ς = 200, soit 1219 → 13 → 4. 13 marque le passage d'un cycle à un autre (d'une ère à une autre). 4 marque la « matérialité » des faits (qui sont à l'origine de la « foi nouvelle ») ainsi que la Royauté (du Christ) sur les plans terrestre aussi bien que céleste.

En face de mots ou de phrases apparemment difficiles ou incompréhensibles, le langage populaire dit : « C'est de l'hébreu... ». Et pourtant l'hébreu est sans doute une des langues les plus claires — sinon une des plus faciles...

La clarté de cette langue tient au fait que sa structure correspond à des données mathématiques précises, doublées de données symboliques et métaphysiques.

La transparence de cette langue en fait peut-être la difficulté. Son étude demande rigueur (dans l'aisance) et simplicité (dans la profondeur), deux vertus à ne pas confondre avec la rigidité et le simplisme.

L'ésotérisme de l'alphabet hébraïque est à l'origine de l'interprétation kabbalistique des textes sacrés, notamment de la Bible.

A chacune des lettres correspond une valeur numérique simple d'usage courant (selon le même principe qu'avec l'alphabet grec) et une valeur ésotérique — qui correspond aux vingt-deux polygones réguliers inscriptibles dans un cercle de 360°, dont l'angle, exprimé en degrés, soit un nombre entier.

(Le nombre des lettres hébraïques : 22, est également celui des « communications » qui existent entre les dix « Séphiroth » de la Kabbale. Les Séphiroth symbolisent les Manifestations de Dieu, et portent chacune un nombre de 1 à 10. Une couleur — donc, une *longueur d'onde,* leur correspond également, ainsi qu'une planète astrologique.)

Lettres		Nombres		
		ordinal	cardinal	ésotérique
aleph	א	1	1	3
beth	ב	2	2	4
ghimel	ג	3	3	5
daleth	ד	4	4	6
hé	ה	5	5	8
vav	ו	6	6	9
zayin	ז	7	7	10
heth	ח	8	8	12
teth	ט	9	9	15
yod [iod]	י	10	10	18
kaph	כ	11	20	20
lamed	ל	12	30	24
mem	מ	13	40	30
noun	נ	14	50	36
samekh	ס	15	60	40
hayin	ע	16	70	45
pé [phé]	פ	17	80	60
tzadé	צ	18	90	72
quph	ק	19	100	90
resch	ר	20	200	120
schin	ש	21	300	180
tau	ת	22	400	360

auxquels on adjoint les cinq lettres finales, qui diffèrent graphiquement :

kaph	ך	500	20
mem	ם	600	30
noun	ן	700	36 (ou 40, selon Abellio)
pé	ף	800	60
tzadé	ץ	900	72

Les textes hébraïques sont donc tout imprégnés de nombre, au cœur même de l'écriture. (Notons que les 22 lettres de l'alphabet sont considérées comme *consonnes* : elles sont la « structure », tandis que les *voyelles,* sous-entendues, apportent les variations musicales, animiques du langage.)

La Bible, traduite en grec (par les « Septante »), en latin (Vulgate de saint Jérôme) ou en langue « vernaculaire » (français, anglais, russe, chinois, papou, etc.) ne signifie plus grand-chose, car on ne peut traduire que le sens littéral du texte, c'est-à-dire son niveau de signification le plus superficiel. Et ce sens littéral *est encore assez riche* pour donner aux exégètes du travail jusqu'à la fin des temps...

La difficulté de traduction est d'ailleurs commune à toutes les langues sacrées et profondément imagées : certains poèmes chinois ou japonais, par exemple, sont intraduisibles, sans trahison de leur sens profond.

Mais les textes bibliques comportent également de nombreuses allusions chiffrées qui passent les traductions : dans l'Ancien Testament, il y a de nombreux *mâshâl* (ou aphorismes numériques, sous la forme : « six fois de l'angoisse il te délivrera, et une septième le mal t'épargnera... » Job 5, 19), les chiffres à la fois symboliques et statistiques du « Livre des Nombres », etc. ; dans le Nouveau Testament, outre les diverses séries de 7, il y a la pêche miraculeuse de 153 poissons (pas un de plus ni de moins, nous verrons pourquoi) relatée par saint Jean. L'Apocalypse est également truffée de nombres (7, 12, 24, 666, etc.) et *invite même à les étudier* : « Que le possesseur d'intelligence calcule le nombre de la Bête ! C'est un nombre d'homme. Son nombre est six cent soixante-dix. » (Apoc. 13, 18.) Ce qui faisait dire à saint Augustin, d'accord avec les autres Pères de l'Eglise, que « l'inintelligence des nombres empêche d'entendre beaucoup de passages figurés et mystiques des

61

Ecritures ». Et Pascal, le mathématicien mystique, lui fera écho :
« Le Vieux Testament est un chiffre... »

Les Pères ne connaissaient peut-être pas la Kabbale (bien que
certains en aient tâté), mais ils connaissaient le symbolisme de la
tradition.

Dans certains « rameaux » de l'Eglise universelle d'aujourd'hui,
on en tient encore compte : « La science des nombres est inconnue
de la majorité des hommes de nos jours, écrit Mgr Jean de Saint-
Denis, sans elle cependant une grande partie de l'enseignement
biblique, liturgique et patristique * échappe à notre perception.
Il est tout pétri de langage numérique. » (*Initiation à la Genèse,*
Présence orthodoxe, 96 bd A. Blanqui, Paris 13e.)

Dans l'ésotérisme musulman, il y a, comme dans la Kabbale
hébraïque, une correspondance entre les lettres de l'alphabet et les
nombres. Et les textes y supportent *sept* niveaux de signification.

L'alphabet arabe comporte vingt-huit lettres (divisé en sept séries
de quatre, qui correspondent à sept fois les quatre « éléments »).

A chacune des lettres est attribué un nombre cardinal (comme
en grec et en hébreu) : il y a neuf unités, neuf dizaines, neuf centaines plus mille, soit vingt-huit chiffres.

Chaque lettre est l'initiale d'un nom (ou attribut) divin, et à
chacun correspond un nombre sacré : par exemple, la première
lettre, alif, est l'initiale d'Allah, et a pour nombre : 66.

« Compte tenu de leur nature fondamentale et astrale, note
'Abd ar-Rahmân al-Bistâmi, et de leur *valeur numérique,* les lettres
permettent de parvenir à des connaissances ésotériques inaccessibles
par toute autre voie... »

« Le nom, écrit Rudolf Steiner, c'est ce que l'homme considère
comme étant l'entité isolée. C'est ce par quoi les différentes parties
de la grande multiplicité se différencient l'une de l'autre... » (*Notre
Père,* P.U.F., 1925.)

Nommer une entité, c'est la « circonscrire ». C'est pourquoi le
vrai nom des dieux est inconnu. Mais on voit bien la relation entre
le fait de nommer, et celui de dénombrer (nommer = énumérer =
compter ?), comme Adam au jardin d'Eden, nomme les animaux en
les dénombrant.

La correspondance entre la lettre et le nombre, qui peut être
transposée dans toutes les langues, est à l'origine d'une méthode

* Patristique : étude de la doctrine des Pères de l'Eglise.

de divination appelée *onomancie* (du grec ὄνɔμα, le nom, et μαντεια, divination) — ce que l'on pourrait appeler de la Kabbale appliquée — qui est une des voies de la compréhension intime du langage : le mot Kabbale a d'ailleurs pris un sens qui déborde largement la seule langue hébraïque.

L'hermétiste Jacques Breyer écrit : « ... La géométrie, vie secrète (l'Esprit) de tous textes cabalistiques (la Lettre), permet à ces derniers (qu'ils viennent des Hébreux, des Chinois, des Egyptiens, des Celtes, etc.), de ne faire qu'un en définitive sous les formes employées et variables suivant les Peuples » (*Arcanes solaires,* La Colombe, 1959).

**
***

Encore un mot, sur les *chiffres arabes,* universellement utilisés de nos jours, et dont l'origine est en réalité indienne — les Arabes n'ayant fait que les emprunter aux érudits hindous, pour finalement les transmettre à tout l'Occident.

L'origine cosmogonique des dix chiffres ne fait guère de doute, comme on le verra dans l'étude symbolique des nombres de 0 à 10. Ils permettent un mode de numération aux propriétés suffisamment remarquables pour qu'il ait été universellement adopté.

Les premiers exemples d'utilisation de ces signes, en Europe, se trouvent dans des manuscrits latins datant de 976 et 992. Leur usage ne se répandra qu'au XIIIe siècle (avec Fibonacci).

On ne connaît pas l'origine du graphisme des chiffres, qui doit remonter à une assez haute antiquité. Remarquons simplement qu'il y a une curieuse ressemblance graphique entre les nombres de 3 à 10 et le signe des astres qui correspondent traditionnellement aux Sephiroth 3 à 10 de la Kabbale :

3	correspond	à	Saturne	:	♄ 3
4	—		Jupiter	:	♃ 4
5	—		Mars	:	♂ 5
6	—	au	Soleil	:	☉ 6
7	—	à	Vénus	:	♀ 7
8	—		Mercure	:	☿ 8
9	—		la Lune	:	☽ 9
10	—		la Terre	:	⊕ ⊕ ou 10 X

Compte tenu des déformations et altérations possibles de ces signes à travers les siècles, on perçoit bien leur parenté. Rappelons que les signes planétaires ont été construits avec trois éléments de base : le cercle : o, le demi-cercle :) et la croix : + (qui correspondent à trois autres astres fondamentaux : Soleil, Lune, Terre — tous les autres astres étant considérés comme des « combinaisons » de ces trois principes) :

$$+ \quad \mathes{D} \quad \hbar \quad \mathfrak{I} \quad \odot \quad \mathes{Q} \quad \mathes{\hbar} \quad \mathes{\breve{Q}}$$

Il n'est pas interdit de penser que les chiffres hindous ont été conçus de la même manière, selon un symbolisme analogue, voire identique.

Neptune ♆ et Uranus ♅ sont à part, n'ayant été découverts que récemment. La correspondance avec les Séphiroth 1 et 2 leur a été attribuée depuis, mais la place de ces planètes avait été, semble-t-il, prévue par les Anciens.

La musique des nombres

« Dans le sens ancien et primitif, la musique n'était pas une science particulière, c'était tout ce qui appartenait aux Muses ou en dépendait, c'était donc toute science et tout art qui apportait à l'esprit l'idée d'une chose agréable et bien ordonnée...

« Platon ne craint point de dire que l'on ne peut faire de changement dans la musique qui n'en soit un dans l'Etat... » écrivait Montesquieu (*L'Esprit des Lois*, 1748).

Dans la Grèce antique, la musique (telle que nous la définissons aujourd'hui) faisait partie de l'enseignement des mathématiques. D'ailleurs, les mots *musique, mathématique* et *mancie* (divination : μαντεια) sont de la même racine étymologique indo-européenne.

La relation entre la musique et le nombre présente un double aspect :

— arithmétique et algébrique ;

— analogique, symbolique et hermétique.

Dans la préface de son *Traité de musicologie comparée*, Alain Daniélou écrit : « Toute musique est basée sur des rapports sonores, dont l'étude nous entraîne vers un monde étrange, celui du symbolisme numérique. »

Des correspondances diverses existent, pour la divination et la magie, entre les notes de musique et les nombres.

L'aspect purement numérique des notes de la gamme et des intervalles est connu. On fabrique facilement un instrument de musique simple en remplissant des récipients d'eau ou en taillant des tubes selon les proportions :

$$1 \quad \frac{8}{9} \quad \frac{4}{5} \quad \frac{3}{4} \quad \frac{2}{3} \quad \frac{3}{5} \quad \frac{8}{15} \quad \frac{1}{2}$$

ut ré mi fa sol la si ut

L'intervalle entre deux sons est défini par le rapport de leurs fréquences. La gamme entière — divisée en *sept* degrés variables (ou *notes*) — représente l'intervalle entre deux harmoniques successives (la deuxième doublant la fréquence de la première, appelée *tonique*) : c'est une octave (sept intervalles entre *huit* notes). En général, les intervalles successifs entre les notes sont des multiples entiers d'un demi-ton ; par exemple, dans la gamme diatonique majeure :

ut - 2 - ré - 2 - mi - 1 - fa - 2 - sol - 2 - la - 2 - si - 1 - ut

Il existe de nombreuses gammes différentes, utilisées dans les œuvres musicales. La gamme dite tempérée — celle qui est représentée par les touches d'un piano, où le do# — dièse — (do + 1/2 ton) et le ré*b* — bémol — (ré - 1/2 ton), sont artificiellement confondus — est une octave divisée en 12 demi-tons dont chacun vaut 25 savarts. Cette unité de mesure acoustique — qui tient son nom du physicien Félix Savart — est égale au logarithme de $\frac{1}{300}$ d'octave. (Un autre logarithme est couramment utilisé en musique, en effet :

double croche = 1/2 croche
triple croche = 1/4 croche
quadruple croche = 1/8 croche.)

La gamme dite de Zarlin, ou gamme naturelle, représente les intervalles, exprimés en nombres fractionnaires :

$$\text{do} \ \frac{9}{8} \ \text{ré} \ \frac{10}{9} \ \text{mi} \ \frac{16}{15} \ \text{fa} \ \frac{9}{8} \ \text{sol} \ \frac{9}{10} \ \text{la} \ \frac{9}{8} \ \text{si} \ \frac{16}{15} \ \text{do}$$

Pour exprimer des sons joués successivement (intervalle mélodique) ou simultanément (intervalle harmonique) on utilise des rapports de

seconde : (do-ré)   tierce : (do-mi)   quarte : (do-fa)
quinte : (do-sol)   sixte : (do-la)   septième : (do-si)
et octave : (do-do)

Les intervalles de même nom n'ont pas toujours la même valeur : ils diffèrent selon qu'ils sont dits : mineurs, majeurs, justes, diminués, augmentés...

« Chiffrer » une base, signifie, en musique, indiquer les accords. On distingue — à l'oreille — les accords consonants (tierce majeure ou mineure, quinte juste, sixte majeure ou mineure, octave) et dissonants (seconde majeure, septième majeure et mineure) — la quarte est une consonance mixte, à la fois consonante et dissonante.

Il n'est pas besoin d'exposer toute la théorie musicale pour faire comprendre que la musique est une rigoureuse construction arithmologique — dont dépend l'expression d'une harmonie, et qui se révèle capable de provoquer des émotions de caractère purement esthétique.

La musique est tout entière conditionnée par le nombre, qui est lui-même une formulation de la « musique des sphères » ou harmonie cosmique (synthèse d'intelligence et de beauté).

On ne s'étonne pas que les platoniciens aient parlé de l'architecture comme d'une « musique figée ». Velarde disait de l'architecture des Incas et des Queshuas : « C'est une terre cristallisée, divisée en formes géométriques. » Et Pierre Honoré : « Tout l'art maya est de la mathématique pétrifiée. » On peut parler de même des Pyramides d'Egypte et de tous les sanctuaires antiques et médiévaux.

Les canons d'harmonie — numériques — sont communs à toutes les disciplines artistiques. Qui en connaît les *principes* saura les appliquer et les « matérialiser » dans la forme de son choix, et de ce fait imitera la nature. « Il y a dans l'homme un goût naturel qui le rend sensible au nombre et à la cadence ; et pour introduire dans les langues cette espèce d'harmonie et de concert, il n'a fallu que consulter la nature » (Charles Rollin, *Traité des Etudes,* III, 3).

Et, bien sûr, comme Lamartine :

Nous répétons les vers de ces hommes divins
Qui dérobent des sons aux luths des séraphins
Ornent la vérité de nombre et de mesure
Et parlent par image ainsi que la nature (Harmonies I, 5).

« Au commencement était le Verbe... » (Saint Jean).
C'est-à-dire le son, ou la vibration. C'est-à-dire le nombre.
L'effet d'un son ne se limite pas à l'impression esthétique — qui

marque une sensibilisation à la beauté. La musique suscite de nombreuses réactions psycho-physiologiques.

Les mages utilisent le son *(mantra)* pour le développement des pouvoirs supra-normaux.

Il existe, en Orient, différentes sortes de yogas du son : *mantra-yoga, shabda-yoga, nada-yoga* : « nada » signifie le « rien », donc le « silence »... La perception du rythme et du son, par son affinement et son développement, amène à la perception de l'état nirvanique, c'est-à-dire la « non-perception » et le « non-état »... Elle permet, en quelque sorte, de retrouver le « vide », le « zéro » originel. Eléonore de Lavandeyra donne cette définition de la musique (considérée comme une technique d'éveil spirituel) : **« science de la vibration, miroir du silence... »**

La relation du silence et de la musique a sans doute été particulièrement vécue par Ludwig van Beethoven, dont l'œuvre est un défi à la surdité.

On attribue à Martin Luther ce jugement : « La musique est l'art des prophètes. Le seul qui puisse apaiser les troubles psychiques. » Ne dit-on pas que « la musique adoucit les mœurs » ?

De fait, on utilise la musique en thérapie : des expériences de relaxation et même d'analgésie ont été réalisées.

En agriculture, on a constaté que certaines musiques et certains sons facilitent la croissance des plantes, améliorent la qualité du lait de vache, etc.

Sans vouloir froisser les amateurs de musique concrète, il faut noter que la plupart des œuvres modernes ont des effets physiologiques désastreux. Pourquoi ? La nature connaît sans doute la réponse : c'est une affaire de mathématiques. Une musique a-rythmée ou criarde ne peut avoir que des effets objectivement perturbateurs. Beaucoup d'œuvres dites « pop » sont à mettre également dans ce lot.

Si on traduit en sonorités des formules mathématiques abstraites — comme fait Xénakis — ce qui en soi est une expérience intéressante — et qu'on les fasse entendre n'importe comment, n'importe quand, dans n'importe quel ordre et à n'importe qui, on obtiendra « n'importe quoi », c'est-à-dire des effets psycho-physiologiques chaotiques.

« Ces arts affranchis de règles, dit Anne Osmont, n'ont plus d'autre but que d'amener le désordre et la folie, sous couleur de spontanéité... » *(Le Rythme, créateur de forces et de formes.)*

Disons que des lois artificielles et arbitraires s'y substituent aux lois « organiques » en rapport avec la source de vie. On est loin de l' « harmonie des sphères »...

« ... La musique... est le nombre agissant physiquement sur l'Homme ; elle est d'un mot l'envers du nombre... Les pythagoriciens appelaient les nombres " les musiciens du ciel ", parce que le ciel voit à l'envers ce que la Terre voit à l'endroit. » (D. Neroman, *op. cit.*) C'est une illustration du principe d'Hermès : « Ce qui est en bas est comme ce qui est en haut, pour réaliser les miracles de l'unité... »

La musique est, parmi les arts, un des plus aptes à communiquer des états d'esprit ou d'âme. Elle est peut-être le langage mathématique le plus précis dont pourraient se servir les psychologues dans leurs investigations... Elle permet à la fois la communication (langage) et l'harmonisation (thérapie).

Toute la « gamme » des sentiments et des pensées peut s'exprimer au moyen du rythme et de la mélodie : ces deux principes, l'un « fixe » (ou constant), l'autre « mobile » (nous pourrions dire : l'un masculin, l'autre féminin) engendrent toute œuvre musicale, et sont en fait la transcription de rapports de *nombres*.

Nous pouvons les représenter symboliquement et mathématiquement par deux axes, l'un horizontal qui supportera le rythme (temps), l'autre vertical qui supportera la mélodie (espace ?).

Le Grand Silence, point de départ et d'arrivée — et condition — de toute musique, sera symbolisé à la fois par le point 0 de contact entre les deux axes, et par toute l'étendue de l'espace qu'ils définissent.

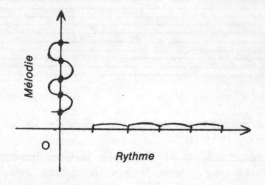

Le rythme se définit par la progression d'un rapport fixe (appelé temps) — sur l'axe horizontal — (par symbolisme analogique : base matérielle, fondement de l'édifice) :

La mélodie se définit par la progression libre, voire fantaisiste, d'un rapport mobile — ou de rapports divers (accords, etc.) représentés par *les notes de musique* sur l'axe vertical. Ces rapports définissent des *fréquences vibratoires* (ou longueurs d'onde) — (symbolisme analogique : variations animiques et spirituelles).

Le plan des deux axes — rythmique et mélodique — constitue ce que l'on appelle une *portée* :

do ré mi fa sol la si do ré mi fa sol la si do

L'écriture musicale occidentale fut codifiée au XIᵉ siècle par Guido d'Arezzo (995-1050), bénédictin italien. Il inventa la portée de onze lignes, et adopta définitivement le nom des notes de musique, d'après l'hymne à saint Jean « Ut queant laxis » composée deux siècles plus tôt par Paul Diacre Warnefrid (740-801) :

Ut queant laxis	*Pour que tes fidèles*
*Re*sonare fibris	*Puissent de toutes les fibres*
*Mi*ra gestorum	*De leur âme*
*Fa*muli tuorum	*Chanter les merveilles de la vie*
*Sol*ve polluti	*Purifie leurs lèvres souillées*
*La*bii reatum	*Du péché*
*Sancte I*ohannes	*O saint Jean...*

La portée de onze lignes, incommode, fut plus tard divisée selon trois clefs : clef de sol, clef d'ut, clef de fa. Le plain-chant — ou musique grégorienne — s'inscrivait sur une portée de quatre lignes. Par la suite on adopta une portée de cinq lignes, universellement utilisée.

sol la ut la fa la

Mouravieff *(Gnôsis)* voit dans le choix du nom des notes de musique une intention et une signification ésotériques, en relation avec une cosmogonie — et Gui d'Arezzo aurait, dans ce sens, délibérément changé *ut* en *do*. On descend, en effet, la gamme comme une « échelle de Jacob » symbolisant les degrés successifs de la création :

DO pour	*Do*minus (Maître)	:	Dieu absolu manifesté, Soleil central.
SI "	*Si*dereus orbis	:	Ciel étoilé, Ensemble de tous les mondes.
LA "	*La*cteus orbis	:	Notre grand monde, la Voie lactée.
SOL "	*Sol*	:	Soleil.
FA "	*Fa*tum	:	Monde planétaire, auquel l'antiquité attribuait l'influence directe sur le destin.

71

| MI | " | *Mi*stus orbis | : Terre, notre monde imparfait placé sous l'empire du Bien et du Mal. |
| RE | " | *Regina* astris | : Lune, la régente du sort humain d'après les anciens. |

La gamme comporte donc sept notes — chiffre particulièrement lié au symbolisme de la création — choisies parmi 12 sons répartis régulièrement dans l'octave.

Il existe d'autres gammes : les Chinois, les Celtes, certains peuples des Amériques, utilisaient la gamme pentatonique (ou pentaphonique) qui comporte cinq notes : ut, ré, mi, sol, la (avec quelques variations de ton).

Depuis Debussy, la musique moderne utilise souvent la gamme des six tons entiers que comporte une octave traditionnelle. Le « dodécaphonisme » (Schönberg) utilise librement les douze demi-tons. La musique sérielle (Anton Webern, Jean Barraqué, Alban Berg...) utilise les mêmes demi-tons, mais selon certaines règles rigoureuses.

*
* *

Si l'on considère les deux dimensions spécifiques de la musique (rythme et son) et son déploiement instrumental sur les trois dimensions de l'espace, nous sommes amenés (plus particulièrement avec le *son*) au seuil d'une cinquième dimension ($2 + 3 = 5$) dont la porte est peut-être cette synthèse que constitue l'art numérique musical, par l'éveil de la perception qu'il suscite.

La musique est aussi l'art des métamorphoses. « Précision mathématique ne veut pas dire schéma mort » comme dit Federico Fellini (à propos de cinéma, qui est une musique audio-visuelle...).

Il y a autant de différence entre la mathématique et la vie qu'entre l'ordre et la spontanéité : comme l'un ne va pas sans l'autre : la « structure » rend possible le « mouvement » — qui lui donne en échange une signification.

Que la vie soit un « enchantement », ou la mélodie d'un bonheur, c'est donc *aussi* et *d'abord* une question de nombre.

« Alchimia » et « Geometria »

« Il y a d'autres secrets à côté de la transmutation des métaux et les grands maîtres sont seuls à les comprendre », écrivait Newton en 1676.

La connaissance des propriétés cachées des nombres a été, à travers ses différentes formes, l'un des fondements de la science d'Hermès. En effet, l'alchimie se présente comme l'une des voies de réintégration du Multiple dans le Un.

Muhyi-d-Dîn Ibn Arabî exprime ainsi sa vision d'alchimiste : « Le monde de la nature se révèle sous des formes multiples, qui se refléteraient dans un seul miroir. Il est plutôt une forme unique que refléteraient de multiples miroirs... »

Et Synesios, dans *La Bibliothèque des philosophes chimiques,* écrit : « De même qu'au commencement était un être unique, tout dans cette œuvre, vient d'un seul. Tel est le sens du retour à l'unicité des éléments... »

Le nombre est partout présent dans les textes alchimiques : il y a deux ferments, trois principes (mercure, soufre et sel), quatre éléments (feu, air, eau, terre), sept métaux correspondant à sept planètes...

Une tradition rapporte que les prêtres égyptiens recueillirent et cachèrent cette inscription retrouvée sur la tombe d'Hermès (gravée à la pointe d'un diamant sur une plaque d'émeraude — elle aurait été retrouvée par Alexandre le Grand) : « Je vous commande, fils de la Doctrine, congelez l'argent vif [L'argent symbolise la lumière. Congeler signifie : matérialiser, concentrer]. De plusieurs choses faites 2, 3 et 3, 1, 1 avec 3, c'est 4, 3, 2 et 1. De 4 à 3 il y a 1 ; de 3 à 4 il y a 1, donc 1 et 1, 3 et 4 ; de 3 à 1, il y a 2, de

1 à 3, il y a, 1, de 3 à 2, 1, 2, et 3. Et 1, 2, de 2 et 1, 1 de 1 à 2. 1 donc 1, *je vous ai tout dit...* »

Voici· de quoi mettre à l'épreuve la sagacité de l'étudiant en hermétisme. Nous pouvons cependant débrouiller certains aspects de cette énigme numérique, en nous reportant à la signification symbolique des nombres 1, 2, 3 et 4. (Voir Deuxième partie.)

Jung a mis en évidence la parenté qui existe entre les archétypes fondamentaux de l'univers psychologique, et les symboles de l'Ymagerie alchimique.

La relation ontologique fondamentale de tout être se résume dans la trinité Père, Mère, Enfant ; le monde extérieur pouvant être considéré comme une quatrième dimension de cette cellule « initiale ».

Les situations conflictuelles et non intégrées sont connues des cliniciens psychologues sous le nom de complexes — dont un des plus significatifs est le complexe d'Œdipe. L'enfant considérant un de ses parents comme un rival, crée une dualité de fait dans son psychisme, l'œuf familial est « désintégré », la relation disloquée, et la conquête du monde extérieur devient problématique.

Dans un même ordre d'idées, Gilbert C. Rapaille écrit : « Pour résoudre ce problème [de la dualité] nous avons créé la relation triangulaire idéale. Quand le Fils et le Père ne sont qu'un, ils sont encore deux [pour s'aimer] grâce au Saint-Esprit, lui-même Dieu à part entière. Ainsi je peux être un, deux et trois à la fois. (...) Dépasser l'Œdipe, c'est devenir prêt à une relation authentique avec l'autre, et dans un certain sens, c'est en assumant la séparation que l'on reconnaît l'unicité de l'autre et que l'on peut aimer l'autre » (*La relation créatrice*, Ed. Universitaires, 1973).

Reconnaître dans la multiplicité du monde extérieur, et en soi-même, les jeux de la dualité, et reconnaître dans la dualité la manifestation d'une Source unique, Androgyne principiel, telle est la démarche du processus de réintégration psychologique — qui est également, à son niveau, celle de l'alchimiste.

Les relations complexes entre le Père, la Mère et l'Enfant (1, 2 et 3) sont analogiquement présentes au sein même de la « matière première » (4) où s'ébattent les principes du soufre, du mercure et du sel.

Le dessein de l'alchimiste sera de reconstituer au cœur même de la matière la perfection originelle que représentent l'Androgyne et la Tri-Unité (la Pierre philosophale comporte les trois principes en parfait équilibre). Ce faisant, il créera l'harmonie entre les quatre éléments (les quatre états de la matière : ignée, gazeuse, liquide, solide) dont les mouvements et déchaînements étaient l'effet direct du conflit résultant de la dualité originelle.

Matérialiser l'esprit et spiritualiser la matière, tel est le but unique de l'Art royal.

C'est probablement le symbole de cette réalité qu'il faut voir dans le problème traditionnel de la « quadrature du cercle ».

Le cercle symbolise l'esprit — sans commencement ni fin — (qu'il soit non manifesté, tel le 0 — zéro vide — ou qu'il soit manifesté, la ligne fermée symbolisant alors la « globalité » et l'unité de toutes choses) et le « ciel » — par analogie avec la voûte céleste et l'espace « courbe »...

Le carré symbolise la matière — en ses quatre états — et plus précisément la Terre — avec ses quatre points cardinaux.

La relation de l'esprit et de la matière, du Créateur et de la création, du ciel et de la terre, de l'intelligible et du sensible, de l'infini et du fini, etc., est le grand problème de toute métaphysique, l'interrogation de toute philosophie, l'origine de toute religion.

Une réponse unique existe : la relation qui fait coïncider le ciel et la terre, le cercle et le carré, le compas et l'équerre... Quelle est la commune mesure du cercle et du carré ?

Mathématiquement, Lindemann a démontré — à partir de la théorie des groupes approfondie par Evariste Galois — l'impossibilité théorique de la « quadrature du cercle » : il est impossible de construire géométriquement un cercle et un carré de même aire.

Pourtant, la relation existe en π, ce nombre appelé « transcendant »... π (pour περιμετρος, littéralement : « mesure du tour ») est la commune mesure du rayon du cercle et de sa circonférence : il marque la relation entre le centre et la périphérie, par le mouvement et la projection du rayon. C'est donc aussi, selon cet autre aspect du symbolisme, la relation entre la source et la manifestation, l'incréé et le créé, etc.

Le rayon « en mouvement », relation du « centre » et de la « périphérie ».

Bien qu'elle soit une approximation — mais toute image symbolique exprimée n'est-elle pas une approximation de la réalité insaisissable ? — la valeur de $\pi = \dfrac{22}{7}$ est numérologiquement significative, ces deux nombres (22 et 7) étant en relation avec les manifestations de la lumière, et symbolisant les différents aspects de la création.

Le *mouvement* de rotation d'un carré autour de son centre délimite deux cercles : l'un inscrit, l'autre circonscrit. L'interpénétration dans l'Univers de l'esprit et de la matière se trouve symbolisée par une succession infinie de cercles et de carrés inscrits les uns dans les autres. La matière, par son mouvement, se confond avec l'esprit.

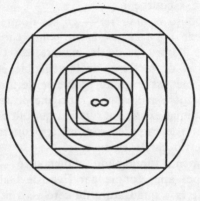

Le *mouvement perpétuel* dont on a dit qu'il était une chimère, n'est pas à chercher bien loin, mais au cœur de l'atome : l'énergie en constant mouvement dans la matière est, pour l'adepte, le signe du dynamisme de l'esprit.

La « quadrature du cercle » peut également être représentée par deux axes perpendiculaires se croisant au centre d'un cercle, et le déploiement rythmique et numérique de ce cercle, en une courbe qui est la représentation élémentaire des phénomènes vitaux cycliques :

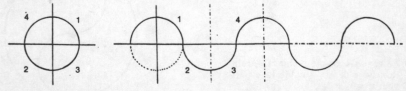

L'alchimie, science de la vie, est avant tout géométrie « ce sel que souvent trop de sucre recouvre... dit Jacques Breyer, la CLEF, seule inaltérable ! » (*op. cit.*)

Si un jour l'humanité entière parle le même langage, ce sera celui de l'alchimie : le langage du nombre vivant.

La recherche de l'or n'est qu'un aspect de l'art d'Hermès. Sur le plan spirituel, l'or symbolise la perfection et l'harmonie (ne parle-t-on pas du nombre d'*or* pour désigner un des critères mathématiques et universels de l'harmonie ?).

Sur le plan matériel, « la transmutation du vil métal en or » symbolise la spiritualisation du propre corps de l'adepte — mais aussi la *réelle transmutation du plomb en or,* en allégeant le plomb de trois électrons... (Ce que réalisent les cyclotrons avec une dépense phénoménale d'énergie, semble avoir été réellement et empiriquement réalisé par des moyens relativement simples que la science ignore encore.) La transmutation matérielle ne devrait être néanmoins que le signe et la preuve de la transmutation spirituelle.

La Pierre philosophale concrétise la *conscience de l'unité* et les pouvoirs que cette conscience confère...

Rechercher la quadrature du cercle, le mouvement perpétuel et la pierre philosophale n'est donc pas une démarche illusoire... C'est rechercher la *réalité de ce qui est,* définie par des lois précises que témoignent et symbolisent les nombres.

La queste solitaire et discrète des fils d'Hermès, rencontre aujourd'hui le dynamisme épique de la Physique fondamentale. Leurs constatations et leurs interrogations se rejoignent : l'Univers, multiple dans ses manifestations, est un dans sa trame et dans son principe, lequel provient d'un néant 0 inexplicable et impénétrable...

Les figures magiques numérales

L'abbé Jean Tritheime (le maître de Paracelse et inspirateur de Cornélius Agrippa) disait que « les sciences mathématiques sont comme parentes de la magie, si indispensables à celle-ci que celui qui, sans les posséder croit pouvoir exercer les arts magiques, se trouve dans une voie absolument fausse, s'efforce en vain et n'arrive jamais à un résultat ». Et, au XXᵉ siècle, Raymond Abellio affirme que « la science des nombres est le support intellectuel de la future magie... »

Nous avons vu comment la tradition pythagoricienne aime donner aux nombres une représentation spatiale. Il s'ensuit que toute figure marquée géométriquement par un rythme (ou une symétrie multiple) peut être considérée comme la représentation symbolique d'un nombre. C'est ainsi que de nombreux symboles ésotériques peuvent s'interpréter numériquement. En voici quelques exemples courants :

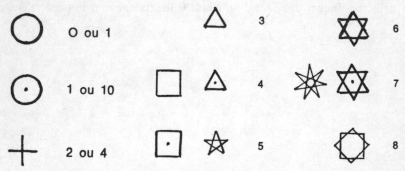

Toute structure géométrique est réceptrice ou émettrice d'une vibration qui lui correspond. On a pu développer très scientifiquement cette idée à propos des cristaux — qui sont, de fait, des structures géométriques matérialisées dans l'espace.

C'est pourquoi les pantacles utilisés en magie — ainsi que les *yantra* et *mandala* orientaux — sont souvent l'expression de données mathématiques simples et précises. Ce sont des supports, à la fois pour concentrer l'attention et pour concentrer les énergies subtiles qui leur correspondent symboliquement et physiquement.

Parmi les figures utilisées, on trouve des structures géométriques qui recèlent intérieurement d'autres données, numériques, plus ou moins complexes.

Les *carrés magiques*, connus des mathématiciens comme de simples jeux ou curiosités numériques, furent réellement utilisés en *magie*.

Cornélius Agrippa donna à cet effet une série de vingt-cinq carrés magiques, auxquels il faisait correspondre les pouvoirs de : 7 planètes, 9 génies planétaires et 9 daïmons planétaires (déités supérieures et inférieures correspondant aux planètes).

Le principe d'un carré magique est que « les nombres inscrits dans les cases subdivisant le carré doivent donner une somme constante, par ligne, par colonne, et suivant les deux diagonales ».

Exemple :

5	12	4	
6	7	8	
10	2	9	Somme linéaire et diagonale : 21

D'une façon générale, un carré symbolise la *matière*. Les données numériques internes peuvent donc symboliser la *vie interne de la matière* ; comme le damier ou l'échiquier symbolisent le *terrain* sur lequel se *joue* un conflit théorique, où s'opposent et *évoluent* pions et figures vivantes.

« Chaque terme du carré concourt à deux sommes égales, remarque Francis Warrain ; parmi les n^2 termes qui composent les n lignes et les n colonnes il y en a à $2n$ ou $2n - 1$ qui concourent en outre à lier par la même somme les angles opposés. » On peut par ailleurs multiplier ou additionner chacun des termes d'un carré magique avec un même nombre, sans en altérer les propriétés.

Si on visualise chaque nombre comme un *poids*, on constate que le carré — reposant ou suspendu par son centre — est en « équilibre instable et mobile, fait d'une répartition inégale de l'énergie, mais régularisée par équivalence ». F. Warrain y voit une « clef d'harmonie », et l'image de l' « économie de la vie et celle de la nature ». (*Géomancie,* Vega, 1968.)

Si, à l'intérieur du carré, on remplace les nombres par les lettres hébraïques, arabes ou grecques correspondantes, on obtient des pantacles magiques, où les mots obtenus sont en affinité avec les propriétés mathématiques du carré, puisque « tout nombre signifie un mot » *(ibid.).*

Le « nom » et le « nombre » sont des *pouvoirs* qui se trouvent, de fait, délimités et captés par leur disposition dans le carré : les règles rigoureuses d'édification de ces figures magiques sont garantes, symboliquement, d'une *efficacité propre à la connaissance.*

Les carrés magiques correspondant à l'influence astrologique et magique des planètes, également appelés « sceaux planétaires », sont de la forme n^2 tels que la somme de chaque ligne, colonne et diagonale soit égale à : $\dfrac{n^3 + n}{2}$ et la somme de tous les nombres à $\cdot \dfrac{n^4 + n^2}{2}$.

Cornélius Agrippa ne rapporte que les carrés de sept astres, à l'exclusion de la Terre, qui possède pourtant son carré. En voici la liste (dont l'ordre correspond à celui déterminé page 63) :

Planète		Carré de	=	Somme linéaire	Somme globale (*vs* de n^2)	Matériau utilisé pour les pantacles
Saturne	♄	3	9	15	45	plomb/tissu neuf ou parchemin vierge
Jupiter	♃	4	16	34	136	étain/corail
Mars	♂	5	25	65	325	fer
Soleil	☉	6	36	111	666	or
Vénus	♀	7	49	175	1 225	cuivre
Mercure	☿	8	64	260	2 080	argent (alliage) (grille de l'échiquier)
Lune	☾	9	81	369	3 321	argent
Terre	♁	10	100	505	5 050	(grille du damier)

Remarquons que la somme globale de chaque carré est la *valeur secrète* du nombre de cases (ou de « termes ») : exemples : $vs\ 9 = 45$; $vs\ 49 = 1\,225$, etc. (vs $n^2 = \dfrac{n^4 + n^2}{2}$).

Le carré magique de base 1 se résume et se suffit à lui-même : $1^2 = 1$. Il est impossible de construire un carré magique de base 2. De même, il n'existe pas de polygone à 1 ou 2 côtés. Aucune planète n'était attribuée, dans la Kabbale, aux Sephiroth 1 et 2 (Neptune et Uranus, pressentis, n'étaient pas encore découverts). Abellio note : « Les nombres 1 et 2 se tiennent en dehors de la manifestation spatiale, leur exclusion est en rapport avec cette loi fondamentale qui veut que toute manifestation exige la trinité et commence par elle. »

La « manifestation » du nombre commence avec le 3 : le carré de base 3 a été retenu par toutes les traditions pour symboliser la création du monde, car il est le premier « développement » possible de l'Unité.

Le Zohar (II, 180 a) dit : « Le Yod primitif est appuyé sur neuf piliers qui le soutiennent. Ces neuf piliers sont disposés dans les quatre directions du monde. Ils sont disposés en lignes droites, trois dans chaque direction et un au milieu, comme ceci :

Ces trois points disposés en carré font *neuf* qui en réalité ne sont que *huit*. Ce sont les trônes du Yod sacré... »

Le *yod*, première lettre du tétragramme sacré, évoque graphiquement l'unité. Il est le Principe de création. Sa valeur numérique est 10, soit, après réduction : 1. Sa valeur ésotérique est 18, soit, après réduction : 9.

Le carré de 3 (Saturne).

Le plus souvent cité, et universellement connu (on l'appelle parfois : « carré de Salomon »), il est de la forme :

$$
\begin{array}{ccc}
4 & 9 & 2 \\
3 & 5 & 7 \\
8 & 1 & 6
\end{array}
$$

et recèle ces propriétés particulières :

$$4^2 + 9^2 + 2^2 = 8^2 + 1^2 + 6^2$$

et :

$$4^2 + 3^2 + 8^2 = 2^2 + 7^2 + 6^2$$

En Occident, on attribue son invention à Apollonius de Tyane. Des manuscrits arabes du Xᵉ siècle (*Kitab al Mawazm* de Djabir b Hoyân) et du XIᵉ siècle (Al Ghazadi) en parlent. Sous le nom de « sceau de Ghazadi », il était connu notamment comme pantacle magique pour faciliter l'accouchement : dessiné sur un morceau de toile neuve, on le mettait sous les pieds de la parturiente. Saturne étant lié au *destin*, on comprend sa relation avec la naissance d'un enfant. On portait ce sceau également comme simple talisman de protection, sur parchemin vierge.

Ses quatre « orientations » possibles correspondaient, pour les Arabes, aux quatre éléments : carré de « feu », 1 au nord ; carré d'« eau », 1 au sud ; carré d'« air », 1 à l'ouest ; carré de « terre », 1 à l'est. (L'opérateur magique est censé, ici, se trouver au « nord ». Voir figures page 83.)

En Orient, cette figure est en relation avec la disposition des huit *trigrammes* qui symbolisent les éléments de l'univers créé en général, et les points cardinaux en particulier (disposition dite du « Roi Wen ») :

Selon la tradition chinoise, ces trigrammes figuraient — avec une disposition légèrement différente — sur le dos d'une tortue de mer qui, tel un « dragon émergeant de l'onde », se présenta à l'empereur Fo-Hi. Celui-ci y vit une formulation du processus de la création du monde « en neuf régions ». Selon cette tradition, en effet, l'Unité créa et divisa le monde par son propre mouvement : son point de départ définit le Centre (0), d'où elle passe successivement au Nord (1), au Sud-Ouest (2), à l'Est (3), au Sud-Est (4), puis repasse par le Centre (5) pour aller au Nord-Ouest (6), à l'Ouest (7), au Nord-Est (8) et au Sud (9) d'où elle retourne à son point d'origine (10) — (le point de départ — 0 — et d'arrivée — 10 —, l'α et l'ω, « s'incarne » dans le 5). Ces trigrammes sont donc, comme dit Marcel Granet : « en même temps des *Orients* et des *Nombres* » (*La Pensée chinoise*, Albin Michel, 1960).

L'itinéraire suivi par « l'unité » correspond exactement à la disposition des nombres du carré magique :

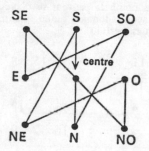
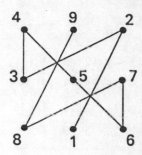

Rappelons que cette trajectoire ordinale symbolise (de même pour *toutes* les constructions numériques analogues) la *vie interne* de la figure (du carré). On ne peut s'empêcher de penser au schéma que donne le repérage de la trajectoire d'un électron, déterminée à intervalles de temps réguliers. Peut-être le mystère de cette trajectoire — qui donne bien du fil à « détordre » aux physiciens — est-il en rapport avec les propriétés mathématiques de certaines figures magiques (mais ceci n'est qu'une « hypothèse de conversation »...).

Il existe divers autres types de carrés de base 3 comprenant une série discontinue de nombres — qui n'appartiennent pas à la série « planétaire ».

Les carrés ayant une case de valeur 0 sont dits « bipèdes ». Exemples :

1	10	4		3	8	1
8	5	2		2	4	6
6		9		7		5

total « linéaire » : 15   total « linéaire » : 12
total « global » : 45   total « global » : 36

Le carré de 4 (Jupiter)

4	14	15	1
9	7	6	12
5	11	10	8
16	2	3	13

Somme linéaire : 34 — ce nombre s'écrit en hébreu : lamed, daleth, deux lettres qui appartiennent au mot signifiant : étain — métal correspondant à ce sceau de Jupiter. Gravé sur corail, on l'utilisait contre les maléfices. (Jupiter : royauté spirituelle).

Ces mêmes nombres peuvent se disposer de diverses façons, donnant autant d'autres carrés magiques parfaits :

1	12	8	13		1	14	8	11		1	15	8	10
6	15	3	10		7	12	2	13		4	14	5	11
11	2	14	7		10	5	15	4		13	3	12	6
16	5	9	4		16	3	9	6		16	2	9	7

Un carré particulier de base 4 peut être formé à partir d'un mot magique de la tradition islamique : *Budûh,* se chiffrant :

bâ′ = 2, wāw = 6, dāl = 4, wāw = 6, hā′ = 8,

(Ce sont les quatre nombres pairs du carré de base 3) :

8	6	4	2
4	2	8	6
2	4	6	8
6	8	2	4

E. Doutte rapporte que ces lettres « écrites sur un tableau placé sous l'aile d'une colombe blanche (...) ont la propriété, si on lâche celle-ci devant la maison d'une jeune fille qui a repoussé une demande en mariage, de forcer son consentement ». (*Magie et Religion dans l'Afrique du Nord,* 1909.)

Ce carré est en rapport avec Saturne (encore le destin... à forcer ?).

Le carré de 5 (Mars) :

11	24	7	20	3
4	12	25	8	16
17	5	13	21	9
10	18	1	14	22
23	6	19	2	15

Somme linéaire : 65 — qui est aussi la somme des lettres du nom divin : *Adonaï* aleph : 1, daleth : 4, noun : 50, yod : 10. Somme globale : 325. D. Neroman (*in op. cit.*) dit que « les " nombres d'homme " dont parlent les Ecritures sont de la forme $n^2 + 1$ ». Le « nombre d'homme » de 5 serait donc égal à 26, qui est le poids atomique du *fer* — métal correspondant à *Mars*.

Citons, au passage, un célèbre carré de base 5 :

```
S A T O R
A R E P O
T E N E T
O P E R A
R O T A S
```

Les mots de cette formule latine ne sont pas « chiffrés » (apparemment) mais il s'agit bien d'un « carré magique » dont la structure interne est singulière. C'est une grille de « mot croisé » parfaite. On peut lire la phrase horizontalement ou verticalement, à l'envers ou à l'endroit, en partant indifféremment de l'un des quatre angles :

Sator arepo tenet opera rotas

a la même signification que :

Rotas opera tenet arepo sator

dont on donne diverses traductions en français : « Le semeur est à la charrue, le travail (du labour) occupe les roues » ou : « Le laboureur à sa charrue dirige les travaux ». Mais il s'agit probablement d'une formule intraduisible. Diverses interprétations alchimiques et gnostiques en furent données. On y a vu une allusion à la *roue cosmique* (rotas). Le laboureur peut être celui de la parabole du bon grain et de l'ivraie (le Juge Divin).

On peut disposer — sous forme de chrisme — les lettres du carré de façon à constituer les mots : PATER NOSTER, avec A et O (*alpha* et *omega*) :

```
                    α
                    P
                    A
                    T
                    E
                    R
    x P A T E R  N O S T E R ω
                    O
                    S
                    T
                    E
                    R
                    ω
```

Cette formule du « sator » fut connue dans toute la chrétienté (les Coptes donnèrent les cinq mots pour nom aux cinq clous de la Croix du Christ ; les Byzantins ont donné aux bergers présents à la Nativité les noms de *Sator, Arepo* et *Teneton*) mais spécialement en Gaule.

On rapproche *arepo* d'un adverbe gaulois signifiant *en avant, au bout, à l'extrémité* ; un mot gaulois de la même famille *arepennis* signifie *tête, bout du champ,* d'où viendrait le français *arpent* et l'irlandais *airchenn.*

D'ailleurs, selon la « kabbale » universelle, peu importe la langue : ce sont les *vibrations* sonores et visuelles qui *comptent.* On peut, dans cet esprit, rapprocher *sator* du grec *sauter* (sauveur) et — pourquoi pas ? — du japonais *satori*, l'illumination...

Le carré de 6 (Soleil)

6	32	3	34	35	1
7	11	27	28	8	30
19	14	16	15	23	24
18	20	22	21	17	13
25	29	10	9	26	12
36	5	33	4	2	31

Somme linéaire : 111
Somme globale : 666 — on reconnaît le « chiffre de la Bête » de l'Apocalypse. C'est aussi le nombre d'un daïmon solaire dont le nom est : Sôrath (en chiffrant ces lettres).
Ce carré comporte $6^2 = 36$ cases. Le « cœur » de ce carré réalise un total de 2×37. $6^2 + 1 = 37$: C'est le « nombre d'homme » de 6 (selon Neroman).
666 divisé par 37 donne 18, soit trois fois six, idéographiquement : 6 — 6 — 6... (voir *Deuxième partie*).

Le carré de 7 (Vénus)

dont voici, à titre de curiosité, la trajectoire interne, significative de la structure géométrique interne d'un carré magique :

22	47	16	41	10	35	4
5	23	48	17	42	11	29
30	6	24	49	18	36	12
13	31	7	25	43	19	37
38	14	32	1	26	44	20
21	39	8	33	2	27	45
46	15	40	9	34	3	28

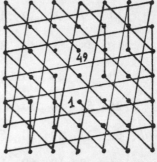

Somme linéaire : 175, nombre de Sodh-Mny (Conseil secret de la déesse Mény — Vénus —, selon J. Marquès Rivière),

en arabe : sād : 60, wāw : 6, dāl : 4, hā' : 5, mîm : 40, nūn : 50, yā' : 10.
Somme globale : 1225.

Le carré de 8 (Mercure)

8	58	59	5	4	62	63	1
49	15	14	52	53	11	10	56
41	23	22	44	45	19	18	48
32	34	35	29	28	38	39	25
40	26	27	37	36	30	31	33
17	47	46	20	21	43	42	24
9	55	54	12	13	51	50	16
64	2	3	61	60	6	7	57

Somme linéaire : 260, « valeur numérique des mots Kokab kescf hay-yim : " Etoile de vif-argent " » (J. M.-Rivière). Si le métal utilisé en art pentaculaire est un alliage d'argent, on ne peut ignorer l'analogie de couleur avec le métal mercure, dont la mobilité et la souplesse s'apparentent à l'activité mentale dont Mercure (planète) est le Maître en astrologie. (L'alliage argent-cuivre est soli-lunaire ; ⊙ et ☽ que l'on retrouve dans : ☿) La grille de ce carré est celle de l'échiquier, autre « jeu » en rapport privilégié avec l'intellectuel Mercure !

Le carré de 9 (Lune)

									Somme linéaire : 369, valeur numérique des mots hébreux : *keren hazâhâb* : « les cornes dorées » :
37	78	29	70	21	62	13	54	5	
6	38	79	30	71	22	63	14	46	kaph : 20
47	7	39	80	31	72	23	55	15	resch : 200
16	48	8	40	81	32	64	24	56	noun : 50 hé : 5
57	17	49	9	41	73	33	65	25	zayin : 7 hé : 5
26	58	18	50	1	42	74	34	66	beth : 2
67	27	59	10	51	2	43	75	35	369
36	68	19	60	11	52	3	44	76	
77	28	69	20	61	12	53	4	45	

Le carré de 10 (Terre)

Somme linéaire : 505 ; somme globale : 5050.

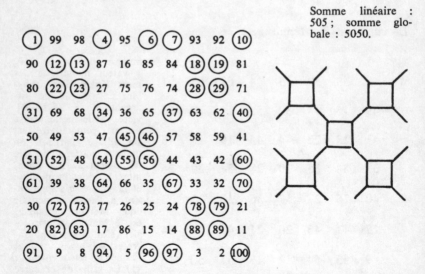

Si on entoure d'un cercle les nombres qui occupent leur place *ordinale*, on remarque leur disposition schématique (ci-dessus).

On trouve, paraît-il, cette structure sur les verrières de certaines chapelles absidiales, à la cathédrale Notre-Dame de Paris.

Le total des nombres entourés figurant à la « *périphérie* » du carré est de 819, soit le total 153 + 666, deux nombres donnés par l'Evangéliste (et Kabbaliste) saint Jean (pêche miraculeuse et nombre de la Bête).

Hasard ou nécessité ?

Voici, pour finir sur ce sujet, un carré magique « bipède » qui donne le total de la valeur numérique des lettres qui constituent le Koran :

2 911 536 642	7 764 097 710	970 512 213
1 941 024 426	3 882 048 855	5 823 073 284
6 793 585 497		4 852 561 068

On peut vérifier.

Des calculs astronomiques de ce genre n'étaient pas faits pour rebuter les théologiens de l'Islam. En voici un d'un autre genre : « ... Compter les mots du Koran en ordre contrarié (en accouplant le premier au dernier, et ainsi de suite...) : le dernier mot qui reste, au milieu, est le Grand Nom (de Dieu). Si l'on fait une invocation en le prononçant, tous les vœux sont exaucés » (Ch. Pellat).

*
**

Il existe d'autres figures sacrées, par exemple ces *étoiles magiques,* comportant douze nombres (1 à 12) :

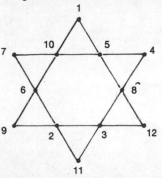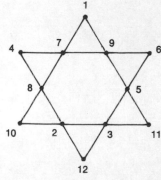

Le total de chaque ligne fait 26

Le total des douze nombres, par définition, est la valeur secrète de 12 : vs 12 = 78, nombre des lames du Tarot !

Le total de deux petits triangles opposés est le même : $7 + 1 + 9 = 2 + 12 + 3$.

Le total des pointes de chaque grand triangle est de 22, nombre des lames majeures du Tarot : $1 + 10 + 11 = 4 + 12 + 6$, etc.

Principes de numération

La *numération* est probablement l'acte de connaissance intellectuelle le plus élémentaire et le plus ancien. Dénombrer les objets, comprendre leurs rapports, telle est la principale utilité du nombre, à l'origine de toutes mesures par lesquelles l'être humain prend sa place dans l'Univers.

Pour compter et mesurer, il faut des points de repère, c'est-à-dire une base, un système de références en fonction duquel les nombres peuvent se concevoir et se développer.

Dans la mathématique, on appelle *base* d'un système de numération le nombre d'unités d'un certain ordre, nécessaire pour former une unité de l'ordre immédiatement supérieur. C'est l'origine des *cycles* de nombres.

L'usage des chiffres dits arabes : 0 1 2 3 4 5 6 7 8 9 fait que nous sommes particulièrement familiarisés avec la numération de « base dix » ou système décimal — appliqué aux poids, mesures et monnaies modernes — fondé sur un cycle de neuf unités (une unité supplémentaire faisant passer les nombres sur le cycle supérieur des dizaines, etc.). La plupart des peuples ont — presque instinctivement — utilisé cette base « dix » dans leurs dénombrements et dans leur écriture numérale (mais pas toujours dans leurs méthodes de mesure).

Ce système doit remonter à la nuit des temps et évoque immédiatement l'usage des dix doigts comme première « machine à calculer »... L'utilisation de neuf chiffres (ou nombres) fondamentaux n'est pas seulement conventionnelle : le « triple ternaire » (3 × 3) possède une profonde signification spirituelle et symbolique : il *résume l'intégralité* de l'univers créé. (Voir **Deuxième** partie, les nombres 3 et 9.)

« ... L'impossibilité de concevoir les nombres en dehors de l'espace-temps concret qui forme la chaîne et la trame d'un univers fini a pour conséquence d'arracher les emblèmes numériques à la disposition linéaire abstraite que semble exiger le caractère illimité de leur suite. Ils sont forcés de s'arranger en forme de cycle. » (Marcel Granet, *op. cit.*)

Une « horloge » en spirale permet de comprendre les particularités d'un cycle de numération. Ainsi, dans une horloge de neuf « heures », le 1 est le point départ apparent du cycle des unités, 10 correspond au « 1 » d'un nouveau cycle de neuf unités, dont le « 0 » serait le 9 du cycle précédent... (Le système d'*engrenage* des compteurs mécaniques est basé sur ce principe.) Le cycle se répète au niveau des dizaines : 9 dizaines + 1 dizaine = 1 centaine ; puis : 9 centaines + 1 centaine = 1 millier, etc.

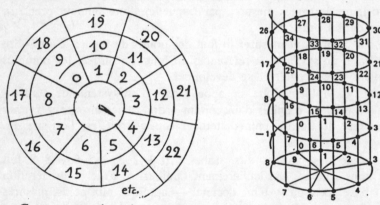

Cette conception des nombres est à l'origine d'une application arithmétique appelée « la preuve par 9 » — utilisée couramment pour vérifier les résultats d'une simple multiplication — et dans laquelle on additionne les différents éléments d'un nombre les uns aux autres, en revenant à 0 chaque fois que l'on obtient le total 9. Ainsi, 1975 se décomposerait indifféremment de l'une des façons suivantes :

$$1 + 9 + 7 + 5 = 22 \rightarrow 2 + 2 = 4$$
$$1 + 7 + 5 \text{ (on supprime d'emblée } 9 = 0) = 13$$
$$13 \rightarrow 1 + 3 = 4$$
$$13 \rightarrow 13 - 9 = 4$$

Quel que soit l'algorithme suivi, on obtient toujours le même résultat :

$$1975 \rightarrow 22 \text{ ou } 13 \rightarrow 4$$

On utilise couramment ce procédé de « sommation » en numérologie, où il porte le nom de *réduction théosophique* ou *addition numérologique*.

Sur le plan symbolique, ce procédé se justifie en ce sens que l'on n'additionne que des *unités* (ou *monades*) de quelque *plan* que ce soit.

Tout système de numération repose sur une convention pratique selon laquelle, dans la suite des nombres, une certaine grandeur sera considérée comme retour à l'unité sur un plan supérieur — ce qui rejoint une intuition métaphysique sur la « rythmologie » des nombres.

« Le grand mystère n'est pas dans le nombre, mais dans le passage du nombre au cycle de nombres, dont le rapport est le même que celui de l'immobilité au mouvement », remarque R. Abellio.

La vie — multiple — issue de l'Unité, récapitule toute la richesse d'un cycle, dans une unité supérieure.

Mais chaque fin de cycle donne naissance à un nouveau cycle, et ainsi de suite jusqu'à l'infini (c'est ce que symbolise l'*Ouroboros*, le serpent qui se mord la queue)... Comme le dit joliment Descartes : « de là je connais qu'il y a quelque chose en matière de nombrer, qui surpasse mes forces... »

Dans les hiéroglyphes incas et égyptiens (ainsi que d'autres peuples) le nombre 100 est représenté par une spirale.

$$100 = 10^{10}$$

Dix, symbole d'un cycle complet, à la puissance Dix !

Le point d' « arrivée » ω d'un cycle coïncide avec le point de « départ » α, mais à un autre « niveau » : ce que représente parfaitement la spirale — qui est, selon un langage analogique, un cercle ouvert sur l'infini...

cycle fermé : (l'α et l'ω sont confondus et indéfinissables : c'est l'image de l'Ouroboros : l'éternité, l'infini replié sur lui-même)

93

cycle ouvert :

(l'α et l'ω ne peuvent être perçus que l'un *relativement* à l'autre. Amorce de spirale : le dynamisme devient évolutif)

pluralité de cycles :

(spirale « totale » de l'infiniment petit à l'infiniment grand — ou l'inverse — représente à la fois l'infini et le dynamisme de l'Univers : la représentation n'en est donc que partielle. Succession de cycles : ω d'un cycle est α d'un cycle supérieur)

*
*

On peut concevoir des systèmes de numération sur n'importe quelle base. Regardons, à titre de curiosité, comment s'écrirait un nombre quelconque, par exemple 43, sur des « bases » inférieures à 10.

base dix   :   43 $(4 \times 10, + 3)$
base neuf   :   47 $(4 \times « 9 », + 7)$
base huit   :   53 $(5 \times « 8 », + 3)$
base sept   :   61 $(6 \times « 7 », + 1)$
base six   :   111 $(1 \times « 6^2 », + 1 \times « 6 », + 1)$
base cinq   :   133 $(1 \times « 5^2 », + 3 \times « 5 », + 3)$
base quatre   :   217 $(2 \times « 4^2 », + 1 \times « 4 », + 7)$
base trois   :   1 121 $(1 \times « 3^3 », + 1 \times « 3^2 », + 2 \times « 3 », + 1)$
base deux   : 101 011 $(1 \times « 2^5 ») + (0 \times « 2^4 ») + (1 \times « 2^3 ») + (0 \times « 2^2 ») + (1 \times « 2^1 ») + (1 \times « 2^0 »)$
base un   : imaginez quarante-trois « 1 » alignés...

Dans une « base zéro » imaginaire, tous les nombres sont égaux à l'infini. Vous avez reconnu, au passage, la « base deux », appelée également *numération* ou *système binaire,* utilisée dans les ordinateurs.

Pour une « base » supérieure à dix, il faudrait inventer des signes simples désignant les valeurs « dix », « onze », « douze », etc. Par exemple, en utilisant un signe D pour désigner « dix », la valeur quarante-trois en « base 11 » s'écrira : 3D (*3* × « onze », + *D*ix).

L'intérêt de cette gymnastique intellectuelle, qui est un des aspects des « mathématiques modernes » (enseignées dès l'école primaire), est de montrer la « relativité » de tout système de références, de tout langage, de tout « code », et de montrer les communications possibles entre *modes de penser* différents : on peut raisonner « juste » à l'intérieur de n'importe quel « système », sans être soupçonné de mauvaise foi par quiconque utiliserait un système différent. Par là peuvent éclater les limites d'une pensée trop rigide dans l'usage de ses « références ». Conséquence inattendue des mathématiques modernes : tolérance de la pensée et intelligence du langage : le même « signifié » peut être exprimé par des « signifiants » différents, comme la même idée s'exprime par des mots différents, selon la langue.

Ces notions simples facilitent la compréhension et l'étude comparée du langage symbolique des traditions — auquel appartient la numérologie.

*
**

Le choix d'une « base » de numération est souvent significatif de la mentalité profonde et de la culture d'un peuple.

Certaines civilisations antiques utilisaient des mesures basées sur 20 (comme les Mayas) et sur 12.

Ces systèmes étaient encore en vigueur, il y a quelques années, dans le Royaume-Uni, dernier bastion de la tradition en matières profanes... Les poids et mesures, ainsi que la monnaie, étaient ce qu'on pourrait appeler des « fossiles vivants », c'est-à-dire à peu de chose près les mêmes que ceux utilisés jadis en Egypte et dans toute la Celtide — qui remontent probablement aux mêmes sources atlantes — puis dans toute l'Europe médiévale.

L'application autoritaire du système décimal dans les « poids et mesures » est le fait d'un rationalisme et d'un utilitarisme modernes, efficaces, mais sans âme... Les mesures antiques étaient beaucoup plus proches d'une conception globale de la vie cosmique et de son application aux affaires terrestres. [En Amérique du Sud, cependant, les Incas — et des siècles avant eux, les Chimus — utilisaient le système décimal, pour l'organisation sociale et militaire.] En France, on compte par vingtaines (et demi-vingtaines) sans presque s'en apercevoir : *soixante-dix, quatre-vingts, quatre-vingt-dix,* sont des formes archaïques, vestiges de la numération par *vingt*. (On disait même naguère *six-vingt* [6 × 20] pour cent vingt.)

Cette habitude agace un peu nos voisins suisses et belges — et fait perdre de précieuses secondes à leurs téléphonistes ! — qui, plus rationnels, utilisent des mots tels que : *septante, octante, nonante* (70, 80, 90)... qui sonnent — injustement — à nos oreilles de Français comme des vieilleries. (Autre « ancienneté », maintenant périmée : les appréciations scolaires, notées « sur vingt ».)

Quant à la façon de compter par 12 (et multiples de 12 : principalement 60 et 360), elle est toujours universellement utilisée, notamment dans la trigonométrie et pour la mesure du temps — qui reste, des dimensions de notre existence, celle qui nous rappelle le plus notre appartenance à un ordre cosmique. Elle trouve d'ailleurs son origine dans l'astronomie babylonienne.

La monnaie britannique avait naguère de curieuses particularités : *le penny* (équivalent à un sou — vingt sous égalent un franc...) multiplié par 12 donnait un *shilling*, cinq shillings : une crown (couronne), *vingt* shillings (ou 4 crowns) : une livre, *vingt et un* shillings : une guinée... étonnante monnaie que cette guinée qui vaut : 3 × 7 × 12 pennies... On peut se demander pourquoi les pièces de 3 pennies étaient de forme duodécagonale (12 côtés). Elles avaient, en outre, un trou au milieu, comme nos vieilles pièces de 20 centimes, les anciennes pièces danoises de 5 ⌀re, les vieilles pièces chinoises, etc. On retrouve là incidemment le symbolisme solaire de la monnaie (la forme ⊙ est universellement considérée comme symbole du Soleil) qu'il s'agisse d'ailleurs de pièces ou de billets (l'or, métal solaire, étant la *référence occulte* à une valeur exprimée par un simple nombre imprimé).

DEUXIÈME PARTIE

L'ARBRE DE VIE : PETITE HISTOIRE NATURELLE ET SURNATURELLE DES NOMBRES

« Qui sait calculer avec les nombres de la nature, celui-là trouve le rapport éternel des choses, la progression de l'unité, les lois de la nature, les rapports du corporel et du spirituel, des forces, des effets et des suites ; il définit l'espace et la durée des choses et calcule le passé et l'avenir. »

ECKARTHAUSEN.
(Des nombres ou *magie numérale*.)

Nous appelons *Arbre de Vie* la série des dix premiers nombres entiers, par analogie avec l'*Arbre des Séphiroth* de la Kabbale, qui représente les dix émanations créatrices de l'Incréé.

Les symboles attribués à ces Nombres ne sont pas conventionnels : ils découlent d'une compréhension logique et analogique de leur genèse à partir de l'unité issue du zéro. L'Arbre de Vie *et* l'Arbre de la Connaissance *ne font qu'un*.

Zéro

Il est de coutume, lorsque l'on crée une nouvelle publication périodique, de réaliser un « numéro zéro », qui est, en quelque sorte, le commencement d'avant le commencement.

Les choses ne sont pas créées par la simple éclosion d'une « unité », il existe une condition d'existence à cette unité : c'est une place disponible, un espace vital, un « prototype d'existence » qui ne soit pas l'existence, mais qui l'autorise.

En symbolique numérique, le zéro est considéré comme la *source* de tous les nombres. Le livre oriental du Tao-te-King dit : « Le Tao produit l'Un, l'Un produit le Deux, le Deux produit le Trois, le Trois produit tous les êtres... »

Le Tao, c'est la « vacuité », le vide originel dont tout est issu et où tout revient. Cette notion, familière à l'Orient, explique l'utilisation du zéro par les Hindous pour la numération.

La Kabbale fait précéder la suite des nombres (Séphiroth) d'une source non manifestée : l'*Aïn Soph,* qui désigne l'inconnaissable, l'incréé.

Le zéro indique la nullité, c'est-à-dire l'absence d'entité. Mais cette nullité est *riche de possibilités et de promesses.* Lorsque Edmond Rostand fait dire à l'Aiglon : « Entre mon berceau et ma tombe il y a un grand zéro », cela ne signifie pas « il n'y a rien du tout », cela signifie : « il y a eu un grand espoir »...

Le zéro et l'infini, qui sont deux modes inverses de la même réalité insaisissable, sont la condition de toute existence. Le zéro est une définition du divin.

Plotin parlait de la divinité suprême comme d'un « néant super-essentiel »... Dans la doctrine épicurienne, la notion de zéro désigne les « intermondes » où demeurent les dieux, c'est l'*espace* qui sépare les mondes. Hors du mouvement, cet écran spatial autorise le mouvement.

Le zéro, dans l'ésotérisme, est à la fois la source d'existence et l'espace vide dans lequel cette existence peut se manifester. Il est à la fois le « projecteur » et l' « écran ». C'est également le témoin informel, impersonnel, intemporel, « non engagé » dirait Sartre, de toute manifestation. Il est l' « informel informateur »...

Comme le silence, source et condition de tout son, de toute musique... Comme l'*absence,* qui donne son prix à la *présence.* « Je ne peux pas ajouter du vide dans une pièce déjà remplie d'objets. Je peux seulement enlever ce qui l'encombre »... observe Arnaud Desjardin dans *Les Chemins de la Sagesse* (La Palatine, 1969). « Seul le vide est réel, unique et permanent. La Réalité suprême est le Silence et le Vide. »

La notion de « néant » a naturellement préoccupé bien des philosophes :

Pour Hegel : « L'identité de l'être et du non-être est le ressort de tout mouvement dialectique. »

Pour Jasper : « Le néant, en tant qu'éprouvé, est un chiffre de l'être. »

Pour Heidegger : « Si la question qui inaugure la métaphysique est : pourquoi y a-t-il quelque chose plutôt que rien ? c'est parce que l'être se révèle à la fois comme présence et comme absence, comme dévoilement (ou vérité : a-lêtheia) et dissimulation. »

Dans l'absolu, le Grand Tout se confond avec le Grand Rien, puisque rien n'y est différencié. L'Océan, constitué de myriades de molécules d'H_2O (entre autres éléments) est une bonne image de cette masse informelle, indéfinissable, et pourtant existentielle — image qu'il faut transposer sur le plan subtil de l'esprit — précédant toute manifestation d'énergie et de formes.

Ce n'est pas arbitrairement qu'on utilise le signe O pour désigner le *centre* d'un cercle ou d'une sphère — ou l'intersection de deux (ou plusieurs) axes (point O commun aux abscisses et ordonnées).

Dans la classification des groupes sanguins, le groupe O désigne le sang universel, que l'on peut mélanger aux autres groupes sans les altérer (illustration biochimique de la formule : $n + O = n$).

La théorie générale de la numération, dans les mathématiques modernes, considère des ensembles d'éléments. Zéro est l'ensemble vide : $\emptyset$.

L'arabe *sifr* (ou *sephir*), *vide*, désignait la « valeur nulle » et le signe de numération (francisé en « *chiffre* ») qui n'ayant pas de valeur propre, servait de « faire valoir ». Un manuscrit du XIIIe siècle indique : « La première figure fait 1, la seconde fait 2, la tierce fait 3, et les autres ausi jusc'à la darraine qui est apelée cyfre... cyfre ne fait riens, mais ele fait les autres figures multeplier. » (Comput. f° 15, cité par Littré.)

De Laroche, dans son *Arismetique* (f° 7), note également : « La dixiesme figure de soy ne vault ou signifie rien ; mais elle, occupant ung ordre, fait valloir celles qui sont après elle ; et pour ce est appelée chiffre ou nulle, ou figure de nulle valeur. »

Sifr s'est transformé, par l'Italie, en *zefiro* et *zero*. Chiffre a fini par désigner en français tous les signes de numération, et « zéro» le seul signe nul. (Il y a parenté entre l'arabe : *sephir,* l'hébreu : *saphar* numéroter, *sephira* : nombre (pluricl : *sephiroth*) et le grec : *sphaïra,* boule, sphère...)

Le 0, en tant que tel, n'apparaît pas dans une étude numérologique, mais il est toujours sous-entendu, comme point de départ et point d'arrivée d'un cycle — illustrant l'identité paradoxale du non-être et de la plénitude de l'être. (R. Abellio.)

C'est le chaos originel — « Tohu va-Bohu » (non pas au sens d'un désordre puisqu'il n'y est même pas question d'ordre...).

Les Celtes appelaient cette sorte de néant : *cytraul*. Ils le différenciaient d'une autre sorte de néant, infernal et absurde, qu'ils appelaient *annoüm,* séjour des âmes refusant consciemment toute spiritualité, et qui ressemble étrangement à celui de J.-P. Sartre, lorsqu'il dit que « l'Homme est l'être par qui le néant vient au monde ». Selon lui, « le néant est postérieur à l'être » mais « il hante l'être »...

Mais, comme dit un sage : « Ne dramatisons pas le néant ; anéantissons le drame... »

Le zéro, c'est aussi le doute cartésien, dans le sens d'une disponibilité totale à tous les possibles : « on recommence à zéro... » Dans cet ordre d'idée, la *croissance zéro* proposée par Mansholt à l'Occident pourrait être la clé d'un début de commencement de sagesse, pour nos sociétés de (très provisoires) sur-production et sur-consommation...

« Je ne sais qu'une chose, disait l'éternel Socrate, c'est que je ne sais *rien*... »

**
*

C'est à partir du zéro que se développent les principes mathématiques de *positif* et de *négatif* — comme le « Tao » donne naissance au *yang* et au *yin* — permettant les opérations arithmétiques les plus élémentaires (addition, soustraction, multiplication, division).

Le zéro est la clé de toute « équation ».

En mathématique, on définit ainsi les dimensions d'un espace :

$$f(x_1, x_2, x_3, \ldots x_n) = O$$

De même en physique, on définit les lois complexes de l'Univers, par rapport au zéro, comme dans cette formule :

$$\sum_{\nu=1}^{4} \gamma\nu \, \frac{\partial\psi}{\partial x_\nu} + \lambda\psi^3 = 0$$

(Issue des travaux de Dirac, Ivanenko, Heisenberg, on a pu dire que « cette formule signifie l'univers »).

0 est la condition de 1 ;

9 est le zéro d'un nouveau cycle de neuf unités, commençant à 10... (9 compte pour zéro, dans la « preuve par neuf » et dans la réduction théosophique) ;

12 est le zéro du 13 — l'unité d'un nouveau cycle de douze : « une » heure de l'après-midi, égale « 13 » heures... — minuit, ou « 12 » heures du soir, est aussi : zéro heure ;

22 est le zéro du 23 (l'arcane 22 des Tarots est chiffré : 0), etc.

Les Mayas représentaient parfois la valeur zéro par un escargot (une spirale) — « symbole de régénération périodique » (A. Gheerbrant) : le 0 est le « passage » entre deux cycles. Graphiquement, il symbolise l'Ouroboros ou l'intégralité du cycle perpétuellement renouvelé. (« L'Ouroboros, clef occulte de toute l'arithmologie », écrit D. Neroman.)

« ... Cette notion [du zéro, du néant absolu] était déjà familière aux anciens peuples indiens des Amériques dès l'arrivée des conquistadores, mais elle faisait partie de leur héritage spirituel depuis des siècles... » (Pierre Honoré, *L'Enigme du Dieu blanc précolombien,* Plon 1962.)

Zéro : point d'arrivée du compte à rebours, point de départ du vaisseau de l'espace...

Point de départ de l'univers en expansion, qu'en sera-t-il lorsque l'horloge cosmique entamera le compte à rebours du *Grand Retour* ?

Un

Le zéro désignait une globalité indifférenciée et vide. Mais, le seul fait d'envisager cette globalité, de la prendre en considération, permet d'y discerner une « unité ».

« Le silence règne sur les ténèbres de l'abîme, le un indifférencié, plus près du zéro que du nombre, le un dépourvu de qualité et de quantité est muet. Cet embryon de l'être, cet œuf sans coquille enfermant en lui une immense possibilité... L'Esprit le réchauffe, le vivifie... lui communiquant l'haleine divine. » (Mgr Jean de Saint-Denis, *op. cit.*)

L'être surgit du néant, le 1 surgit du 0, mais il en est l'enfant « consubstantiel » : l'unité est en plein ce que le néant est en vide.

Symbolisé par un point (comme le yod hébraïque), le 1 *concentre* toutes les potentialités de l'être (qui existaient à l'état informel dans le zéro).

Si le zéro est la source ultime, le 1 est la source *manifestée* (et la référence) de tout nombre et de l'Univers. (Les nombres « premiers » ne sont divisibles que par l'unité et par eux-mêmes : en numérologie, nous dirons que les nombres premiers, reflets de l'unité, possèdent, outre leurs qualités propres, les qualités de l'unité.)

L'Un est l'intégrité-intégralité. Point de départ α et point d'arrivée ω. « Le secret est dans l'*aleph*, dans l'Un » (Elie Wiesel).

L'Univers, est, comme son nom l'indique, l'envers du Un — diversifié — c'est-à-dire sa projection et sa manifestation dans l'infini, dans la multiplicité, dans la diversité. L'Univers est l'image de la trame des nombres issus du 1. Dans ses *Considérations sur la Géométrie,* Pascal écrit : « Tout l'Univers est contenu dans l'Unité ». Pour Leibniz, le 1 — ou « monade » — absolu est

Dieu. Les créatures — comme les nombres — sont autant de parcelles du 1, autant de monades autonomes, atomes de conscience, images imparfaites de l'absolue perfection.

Principe d'existence, principe de tout mouvement, de toute vie, de toute conscience ; principe de cohérence, d'harmonie (unité dans la diversité), d'efficacité (« l'union fait la force »...), de puissance, de pouvoir, d'autorité légitime, 1 est non seulement l'être, au-delà de toute contingence, au-delà (ou en deçà) de l'espace-temps et de l'Histoire, il est la *référence de tout être*.

En effet, le mot unité désigne l'étalon-critère qui permet toute mesure dans l'univers (« unité de valeur ») : tout dénombrement fait référence à 1. (Selon Littré, la définition du « nombre » est : « L'unité, une collection d'unités, les parties de l'unité ».)

Il marque également l'individualité, la particularité, la distinction, la cohérence d'une entité (*un* homme) ou la globalité d'un ensemble (*une* humanité).

Dans la Kabbale, le 1 est la Séphire *Kether*, la couronne.

1 est l'affirmation de l'être.

Sur les murs de Mai 68, parmi d'autres graffiti, on a pu lire cette formule de Plotin : « Seul l'Un existe »... qui résume, par définition, *toute* parole et *tout* acte...

Représenté graphiquement par un point . ou par une barre |, le 1 est à la fois le germe de toute création, et l'acte de création (symbole du phallus).

Le 1 est le *yod* dans le tétragramme : IEVE (yod, hé, vav, hé) qui signifie : « Je suis celui qui suis » : affirmation de l'être subjectif et objectif, affirmation du Moi existentiel et manifesté, que l'on retrouve dans l'anglais *I* am (Je suis, *I*ch bin, etc.).

Si le 0 était le doute méthodique, le 1 est le *cogito ergo sum* (je pense donc je suis) de Descartes : conscience, pensée, existence sont simultanément affirmées par le 1.

Germe d'être, le 1 est donc aussi germe d'illusion, de dispersion, de perdition (maya). Mais il est le fil d'Ariane qui permet de se retrouver dans le labyrinthe de l'Univers créé.

« ... Là, les faits ne comptaient pas. (...) Ce qui m'intéressait n'était pas que deux et deux font quatre, mais que Dieu est Un. Mieux : que l'homme et Dieu font un » (Elie Wiesel, *Célébration Hassidique*).

« Il n'est qu'un seul nombre en lequel nous devrions vivre ici-bas, écrivait Paracelse dans son *Prognostic* (ou Prophétie du

Futur) ; c'est le nombre UN, et nous ne devrions pas compter plus loin. La divinité renferme le nombre trois, mais il est ramené à l'unité. De même nous, les humains, nous devrions nous adonner au seul et unique nombre UN et vivre dans ce nombre. Tout nombre plus élevé entraîne des luttes et des querelles entre les uns et les autres. » (Cité par S. Jacquemin dans *Les Prophéties des derniers temps,* La Colombe, 1958.)

Outre les philosophes antiques, les hermétistes et les sages orientaux, qui voient en l'unité le postulat de toute existence, la « queste de l'unité » a inspiré, en notre siècle, des penseurs aussi différents que Heidegger, sur le plan philosophique, ou Jung, sur le plan de la psychothérapie. Elle inspire également le mouvement de synthèse et de simplification que l'on pressent dans l'évolution de la science contemporaine.

Deux

Si le *zéro* est l'absolu négatif, le *un* l'absolu positif, zéro et un n'existent (ne sont pris en considération) que l'un par l'autre.

L'existence procède du 0 et du 1. 1 s'est déduit « logiquement » et « nécessairement » de 0. 1 et 0 constituent la première dualité. Ils sont 2, ils créent 2.

Le 2 est le reflet du 1 ; l'extériorisation, le *mouvement* du 1 fait apparaître la polarité (2), source de toute multiplicité, de toute diversité. (On conçoit que la scission de cet *atome* — « non séparable » — primordial que symbolise le 1, entraîne le déploiement d'une énergie considérable, qui se traduit, symboliquement, par la multiplicité des nombres...)

Deux est la première ébauche de *rythme,* la première manifestation sur le plan des phénomènes de la vie universelle.

dualité :
mouvement et
reflet de l'unité

représentation
du « premier
rythme »

symbole oriental
de la dualité cos-
mique : le yin
et le yang

Première manifestation de l'*ordre cosmique*, le 2 est l'*unique nombre premier qui soit pair*. Tous les nombres (entiers) sont des multiples de 1, mais tous peuvent également être définis par une somme de puissances de 2. C'est un des éléments de l'algèbre mise au point par George Boole (1815-1864) et qui a trouvé, près d'un siècle après son invention, un large champ d'applications pratiques avec les ordinateurs. Exemple : $193 = 2^0 + 2^2 + 2^3 + 2^5 + 2^6 + 2^7 + 2^8$.) Tout nombre est donc *l'expression d'un rythme de base deux* : une double dualité est d'ailleurs à l'origine de tous les nombres :

— le binaire : 0, 1 $\Big\}$ qui forment le ternaire : 0, 1, ∞.
— la dyade : 1, ∞

Un est symbole de l'immuable (solaire).

Deux est symbole de mutabilité (lunaire) qui apparaîtra effectivement dans l'instabilité des nombres impairs définis par l'addition : *unité + dualité*.

Dans la Kabbale, 2 est la Séphire : *Chokmah*, la Sagesse, principe féminin.

La Bible dit : « Contemple donc toutes les œuvres du Très-Haut, toutes vont par paires, en vis-à-vis » l'Ecclésiastique. 33, 15).

Pour symboliser la dualité universelle, — en tant que loi cosmique et architectonique — Salomon fait dresser (par Hiram) deux colonnes de bronze devant le Temple de Jérusalem (1R 7, 15). A la colonne de droite il donne le nom de Jakin (Yakîn ou Jachin) qui signifie « elle est ferme, stable, solide » ; à la colonne de gauche il donne le nom de Boaz (Booz ou Bogaz) qui signifie « en force, avec force ».

Si le 1 est le Père, le 2 est la Femme dans toutes ses dimensions : la Mère, l'Epouse, la Fille — celle qui permet la manifestation du principe, donc toute vie. [Génétiquement, l'homme (ou le principe mâle) est porteur du chromosome Y, qui permet la manifestation « de lui-même », par transmission, tandis que la femme (ou principe femelle) ne peut, par elle-même, que produire des femmes (cas de parthénogenèse). Mais biologiquement, l'homme est issu de la femme : l'embryon lui-même est féminin avant la différenciation du sexe qui intervient, chez l'être humain, vers la sixième semaine de gestation. C'est également vers la sixième semaine que les occultistes situent l'incarnation du principe spirituel (1 ou ego divin) dans le fœtus (2, univers maternel.)]

La conception orientale du Yin et du Yang montre la mutabilité permanente — dans les rythmes — des éléments qui composent l'Univers.

Avec le 2 apparaît la *différenciation,* donc, par suite, les antagonismes et la dialectique.

A l'image de l'Univers *duel* dans ses manifestations (et de la perception duelle dans ses moyens : ce n'est pas par hasard si les organes des sens vont souvent par paires : yeux, oreilles, narines... en relation avec la structure *double* du cerveau), la *pensée binaire* ou discursive permet l'exploration du monde des phénomènes. Elle permet de distinguer :

le jour	la nuit
le positif	le négatif
le chaud	le froid
le masculin	le féminin
etc.	

Un gros volume ne suffirait pas pour donner la liste de tous les phénomènes qui s'expriment dans la dualité — dont les éléments sont *toujours relatifs l'un par rapport à l'autre* : opposés et complémentaires.

Cette complémentarité est bien illustrée par ces adages de vieille France :

Nul bien sans peine
Nulle rose sans épine
Nulle vertu sans fatigue
Nul vice sans supplice
Nul vin sans lie
Nul plaisir sans déplaisir
Nul endroit sans envers
Nul bois sans écorce
Nulle noix sans coque
Nul jour sans soir...

La pensée discursive, qui procède par *oui* et par *non*, permet donc toute *analyse* et toute *définition*. Elle est à l'origine de la philosophie et de la logique aristotéliciennes, dont l'Arbre de Porphyre donne une claire illustration :

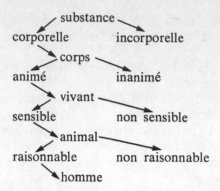

(Ceci est un exemple de *définition sélective binaire*. Tirant son nom de Porphyre (234-305), philosophe de l'école d'Alexandrie, disciple de Plotin, ce type de schéma, qu'il utilisa dans son ouvrage l'*Isagoge*, est, selon Lalande, un « diagramme destiné à illustrer la subordination des concepts, et qui figure avec quelques variantes de forme dans la plupart des logiques anciennes ».)

A un mode de perception binaire, correspond un langage binaire.

Les principes fondamentaux des langues dites « indo-européennes » peuvent se résumer dans la constatation de quelques dualités :

Sujet	Objet	(Le *verbe* indique l'activité du sujet sur l'objet.)
Singulier	Pluriel	(Unité, diversité ; homogénéité, hétérogénéité ; etc. Certaines langues utilisent le mode « duel » à la place du « pluriel », lorsque sont en présence *deux* sujets, ou deux objets.)
Masculin	Féminin	(Le « genre » est une référence évidente à la polarité universelle. Dans certaines langues il existe également un genre « neutre ».)

Les traditions antiques ont connu un langage *purement binaire,* où la présence et la combinaison de deux principes fondamentaux suffisaient à exprimer toutes les notions relatives à la description de l'Univers.

Un exposé théorique de cette cosmogonie binaire nous est venu d'Orient avec le Livre du Yi-King — ou Livre des mutations — qui est à la fois un ouvrage métaphysique et scientifique, notamment par les spéculations qu'il permet en alchimie, et un ouvrage de divination, dans son aspect plus populaire. (Les méthodes orientales et occidentales de Géomancie en sont plus ou moins dérivées.)

Les deux principes du *yin* et du *yang*, apparemment irréductibles et incompatibles, mais réellement complémentaires, symbolisés par une barre ouverte et une barre fermée : — — et ——— (ou par deux points : • • et un point : • ; ou encore par — et |) permettent, par leurs relations, le développement d'une subtile dialectique, capable de rendre compte de tous les phénomènes *mouvants* ou *cycliques* de l'Univers.

Par exemple, le cycle diurne et nocturne (que l'on peut représenter par une double courbe) s'écrira :

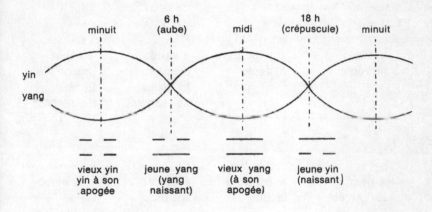

Encore nuancées par l'apport d'une information (yin ou yang) supplémentaire, ces quatre figures fondamentales — ou « kouas » — donnent naissance aux huit *trigrammes* essentiels (que l'on retrouve en relation avec les mythes chinois de la création du monde).

▬▬▬	▬ ▬	▬▬▬	▬ ▬
▬▬▬	▬ ▬	▬ ▬	▬▬▬
▬▬▬	▬ ▬	▬ ▬	▬ ▬
k'ien	k'ouen	tchen	souen
(le créateur)	(le réceptif)	(l'éveilleur)	(le doux)

▬ ▬	▬▬▬	▬ ▬	▬▬▬
▬▬▬	▬ ▬	▬ ▬	▬▬▬
▬ ▬	▬▬▬	▬ ▬	▬▬▬
k'an	li	ken	touei
(l'abîme, l'insondable)	(ce qui s'attache, qui adhère)	(l'immobilisation)	(le joyeux, le serein)

Les quatre diagrammes, combinés entre eux, donnent les seize figures de la géomancie :

« via » la route	« populus » la foule	« cauda draconis » la queue du serpent	« caput draconis » la tête du serpent
« puer » le garçon	« puella » la fille	« carcer » la prison	« conjonctio » la réunion
« fortuna minor » la petite fortune	« fortuna major » la grande fortune	« rubeus » le rouge	« albus » le blanc

« tristitia »	« loetitia »	« amissio »	« acquisitio »
la tristesse	la joie	la perte	le gain

Les huit trigrammes combinés donnent les 64 hexagrammes décrits dans le Livre du Yi-King.

La divination par le Yi-King, également appelée *Che Pou* par les Chinois (ou *achilléomancie*, du nom des tiges d'achillée qui servaient de baguettes divinatoires) est, comme la géomancie, basée sur des séries de nombres, dont on ne considère que la qualité *paire* ou *impaire*, et dont la suite donne les combinaisons de figures.

Le langage binaire a été « redécouvert » par l'Occident, grâce aux travaux de Leibniz (1646-1716), qui, à la recherche d'un *langage universel*, inventa le *système de numération binaire*. Ne nécessitant que deux signes (généralement 0 et 1) ce système est un des plus simples qui puissent exister.

Sur une base binaire, Francis Bacon inventa un *chiffre* (ou code secret) — qui permit à divers chercheurs d'affirmer qu'il était l'auteur des pièces de Shakespeare, et qu'il y glissa, sous forme cryptographique, des révélations concernant le règne d'Elizabeth 1re.

Selon le chiffre de Bacon, on doit voir le mot « philosophie » (par exemple) dans : abbbaaabbbabaaaababaabbabbaaababbababbb aaabbbabaaaaabaa. (...) (abbba = p, aabbb = h, etc.)

C'est également sur une convention de base binaire que Samuel Morse (1791-1872) inventa son alphabet télégraphique (deux signes : . et —) et que Louis Braille (1809-1852) conçut l'alphabet en relief à l'usage des aveugles (chaque lettre est définie par la *présence* ou l'*absence* de points sur une grille conventionnelle).

Le système binaire proprement dit n'a été largement utilisé que depuis l'apparition des ordinateurs. Sa vocation de langage universel ne s'est pas éteinte, puisque sur cette base, l'Américain Franck Drake imagina un système de communication simple destiné au dialogue « avec des intelligences d'outre espace ». (Cf. Walter Sullivan, *Nous ne sommes pas seuls dans l'Univers*, R. Laffont.)

Mais la différence essentielle entre le langage binaire de la Tradition et celui des ordinateurs, est que le premier est *significatif en soi* (universalité naturelle), tandis que le second constitue une simple convention mécanographique (qui se traduit par la *présence* ou l'*absence* d'une impulsion électrique, par exemple) à partir de laquelle on peut arbitrairement construire n'importe quelle signification, en fonction des besoins techniques (universalité fonctionnelle).

« aleph beth » (se lit de droite à gauche)

Selon la tradition, il est possible de reconstituer toute la science sur la simple base de l' « aleph beth », comme l'exprime Elie Wiesel, c'est-à-dire en partant des principes fondamentaux de l'unité et de la dualité, que l'on retrouve dans *toutes les traditions,* sous des formes différentes qui ne sont que les « vêtements » de l'unique réalité. C'est ce que nous appellerions familièrement le *b.a. ba* de la science numérale.

La science contemporaine discerne la « polarité » jusque dans la structure de la matière et celle de l'espace physique. Elle l'exprime notamment par la notion de *symétrie.*

La symétrie est un principe d'*ordre* et d'organisation.

« La distinction en droite et gauche est devenue une norme de notre vie, la base de notre sécurité, de bien des commodités, de notre jouissance esthétique... » (V. Keler, *L'Univers des Physiciens,* Editions de la Paix.)

Le rythme, la saison, la périodicité, sont l'expression de la symétrie *dans le temps.*

L'espace *apparent* possède une symétrie qui permet l'organisation bilatérale (dans six directions) de notre univers physique.

Dans cet espace, les savants distinguent cinq sortes de symétrie :

— symétrie par superposition ;
— symétrie inverse ;
— symétrie réduite ou « perturbée » : dissymétrie ;
— symétrie d'égalité en sens inverse ou antisymétrie ;
— symétrie « nulle » ou asymétrie, non symétrie.

Toutes se définissent *par rapport* à une symétrie « idéale ».

Le principe de symétrie, valable dans un univers statique, permet de constater la dissymétrie de l'univers en mouvement — de même que l'espace homogène d'Euclide permet — par comparaison — d'*imaginer* l'espace « courbe » de Riemann.

En partant de la conception idéale d'un espace bilatéral, la mathématicienne allemande Emma Noether a inventé ce que l'on a appelé des « théorèmes » ou postulats de la physique, selon lesquels il doit exister un rapport étroit entre les lois fondamentales du mouvement de la matière, et les propriétés de l'espace-temps. Ces postulats furent plus tard complètement remis en cause par la découverte de deux jeunes physiciens : Lee Tsung-dao et Yang Chen-ning, qui mirent en évidence la structure asymétrique de l'espace physique, en démontrant la non-conservation de la « parité » dans les particules de matière.

Mais déjà, Pierre Curie (1859-1906) disait : « C'est la dissymétrie qui crée le phénomène. »

Il n'y aurait pas de mouvement ni de vie dans une symétrie absolue.

« La possibilité de se trouver en l'un ou l'autre de ces deux états, droite ou gauche (les savants nomment cette possibilité « énantiomorphie ») témoigne évidemment de l'existence de l'asymétrie ; mais dans la vie réelle, l'homme fait un habile usage de l'énantiomorphie afin « d'équilibrer les extrêmes » et de créer une symétrie plus étendue, comme dans le cas de la circulation routière... » (V. Keler, *op. cit.*)

Si la forme du corps de la plupart des animaux, et de l'homme, est bilatéralement symétrique, il n'en est pas de même des organes internes (le cœur à gauche, le foie à droite, etc.). De même, « le cerveau est un organe pair mais non symétrique : l'hémisphère droit n'est pas le sosie de l'hémisphère gauche. Il y a une asymétrie fonctionnelle et même anatomique, c'est un fait aujourd'hui clairement démontré, et toujours mystérieux » (Dr François Michel, *Le Monde*, 21-8-1974).

Chez les êtres vivants, il y a donc symétrie formelle, mais dissymétrie organique.

Les axes de symétrie de différents ordres, permettent de donner une définition géométrique et numérique de la structure des différents objets. Ainsi, les axes de symétrie du carré sont d'ordre 4 ; ceux du cercle sont d'ordre infini.

La structure symétrique des étoiles de mer, des méduses, des pommes, des renonculacées, nymphéacées, solanacées, caryophyllacées, etc., est d'ordre 5.

Les cellules de la ruche sont d'ordre 6.

Les citrons, oranges, mandarines, kakis sont d'ordre 7, 8, 9 et 10. Certaines plantes (de la famille des « composées ») possèdent des axes de symétrie de l'ordre 15, 20 et jusqu'à 30 (corolle de la marguerite et du bouton d'or).

En numérologie, on distingue les axes d'ordre pair et les axes d'ordre impair : ces derniers sont dits *instables*.

La symétrie complexe — et proche d'une structure idéale — se rencontre dans le monde des cristaux. R. J. Haüy, au XVIIIᵉ siècle, émit l'hypothèse que les cristaux étaient formés de molécules de forme identique. On doit la théorie ordonnée des cristaux (1890-1891) selon les lois de la symétrie, à Ergraf Féderov et Arthur Schoenflies. On a pu démontrer qu'il existe — ni plus ni moins — 230 « modes structuraux » du cristal.

La structure chimique d'un élément, qu'il soit d'origine naturelle ou synthétique, est la même. Pourtant il semble qu'un élément de dissymétrie dans la structure physique des molécules organiques les distingue de la même molécule d'origine synthétique : un organisme absorbant des aliments synthétiques (ou des médicaments) ne les assimile pas directement. Il doit dépenser de l'énergie à les transmuer : à les « décomposer » pour les « recomposer » selon une structure physique assimilable par l'être vivant (quand il ne les élimine pas purement et simplement).

Par analogie avec les notions de symétrie et d'asymétrie, d'ordre et de vie, de permanence et de mouvement, la numérologie distingue les nombres pairs et les nombres impairs, auxquels on attribue respectivement ces correspondances (sur un plan naturellement et exclusivement symbolique).

On connaît l'exemple du voyageur égaré dans le désert : par l'asymétrie de ses pas, il tourne en rond quand il croit marcher tout droit.

La ligne droite n'existe pas : c'est un cercle dont le centre serait infiniment éloigné.

La vie est produite par asymétrie. L'esprit peut concevoir une rectitude absolue, dont la perfection ne sera jamais atteinte par la vie elle-même, sous peine de n'être plus : de mobile elle deviendrait immobile, de dynamique elle deviendrait statique.

La vie s'exprime et évolue dans le monde de la relativité : en fait, toute structure rigide qu'elle rencontre n'est qu'une caricature, ou un pâle reflet, de la « structure absolue » qui est d'ordre divin, inconnaissable.

Trois

Poussée dans ses conséquences absolues, la pensée binaire aboutit, soit à une absence fanatique de nuances, comme dans les philosophies de type manichéen (deux principes s'affrontent sans merci), soit à des paradoxes insurmontables.

Le principe aristotélicien du « tiers exclu » — qui est un principe de non-contradiction, dans l'axiomatique des sciences — est totalement étranger aux mouvements du monde physique et de la vie. Les physiciens en ont donc fait l'économie : le « tiers exclu » n'existe pas dans le monde des énergies ; la théorie ondulatoire et la théorie corpusculaire, par exemple, se sont affrontées jusqu'à ce que l'on découvre que la structure de la lumière pouvait être *à la fois* continue et discontinue. Paradoxe, mais réalité.

La pensée orientale et la pensée traditionnelle occidentale ont toujours admis — et postulé — le principe d'un tiers non contradictoire, principe nécessaire de complémentarité et d'équilibre. La sagesse populaire ne dit-elle pas : « Jamais deux sans trois » ?

Friedrich Hegel (1770-1831) systématisa cette « phénoménologie de l'esprit » (1806), en développant le mouvement de la pensée en trois temps : la thèse, l'antithèse, la synthèse — qui furent, comme on sait, repris plus tard par Engels et Marx.

A la fois principe créateur et caractéristique de cette chose créée, le ternaire illustre également la relativité de la perception :

Soient deux « points de vue » : A et B. Un point C se meut de A vers B :

Selon le point de vue A, C s'éloigne.
Selon le point de vue B, C s'approche.
Ces deux points de vue, opposés, sont inconciliables : c'est le

principe d'un « dialogue de sourds ». La vérité intégrale apparaît dans un troisième point de vue : celui de C, qui ne perçoit qu'un *mouvement unique* sur la trajectoire AB. (« Point de vue » est la traduction du grec « théorie », notion inventée par Pythagore.)

La distance AC se « dilate », la distance CB se « concentre » : c'est l'image d'un phénomène *yin* et d'un phénomène *yang* générés par un principe unique.

1 symbolise le principe ;
2 symbolise l'analyse ;
3 symbolise la synthèse.

Le *relief* visuel peut être perçu par les deux yeux ensemble, le relief sonore (« stéréophonie ») par les deux oreilles ensemble ; mais il faut un troisième principe qui fasse la *synthèse* des perceptions, sur un plan extra-sensoriel : c'est la *conscience*, symbolisée par le « troisième œil » — à la fois synthèse des données sensibles et porte de la perception extra-sensorielle proprement dite.

On représente souvent la divinité par un œil dans un triangle : il symbolise bien la perception globale et universelle. Maître Eckhardt disait : « L'œil par lequel Dieu me regarde est le même œil par lequel je regarde Dieu... »

Le 3 permet la *comparaison* et le *nuancement*.

Francis Bacon inventa pratiquement la science expérimentale selon un principe ternaire : en recherchant la *cause* d'un phénomène, on peut constater la *présence* ou l'*absence* d'un antécédent à ce phénomène. Mais il peut y avoir également des *degrés* entre la présence et l'absence, ce qui permet les *nuances* dans l'observation.

Schématiquement, on peut affirmer qu'un antécédent (par exemple une source de chaleur) est *cause* d'un effet (par exemple de l'eau qui bout) lorsque les variations dans la présence de cet antécédent entraînent des variations équivalentes dans l'effet :

	antécédent	effet
présence	$\alpha +$	$\beta +$
absence	$\alpha -$	$\beta -$
degrés	$\alpha \pm$	$\beta \pm$

Bacon inventa l'expression « instant crucial » *(instantia crucis)* pour désigner le moment précis où l'on vérifie expérimentalement l'exactitude d'une hypothèse.

**

La création, c'est-à-dire le passage du zéro à l'infini, passe nécessairement par le 3.

Le 3 est l'expression du monde des vibrations, considérées comme « particules d'unités en mouvement », ou particules d'énergie issue d'un « Soleil » symbolique ou réel.

C'est aussi le monde des perceptions pures, ainsi que le monde des énergies en mouvement constituant l'origine de toute existence. En un mot, c'est le monde dit « spirituel » ou divin.

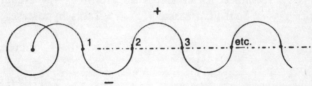

La lettre grecque epsilon : ε, évoque par son graphisme (en forme d'hélicoïde, comme d'ailleurs les autres voyelles grecques) ce monde des vibrations. (C'est l'inverse du chiffre 3.) Selon les gnostiques, elle correspondait à la note musicale : Do. Elle figurait dans sa forme majuscule : E, sur le fronton du Temple de Delphes. Peut-être comme symbole trinitaire (analogue au « trident » : Ψ), et peut-être comme initiale d'un mot grec (Eï) signifiant « *il est* » et désignant le Dieu séjournant dans le Temple.

L'Unité en mouvement engendre, comme on l'a vu, la dualité + et —, pair et impair, etc.

Le 3 — comme principe de création, de dynamisme — est *le 1 projeté dans le 2* (soit 1 + 2).

Le 3 — comme principe de « réintégration ou synthèse » — est *le 2 résumé dans le 1* (soit 2 + 1).

Le même mot : *sam*, signifie 1 en sanscrit, 3 en chinois. (« Sam » en sanscrit désigne le premier temps d'un rythme (donc : 1) ; c'est également le *do* de la gamme : première manifestation de toute vibration. On retrouve la racine *sam* dans *sanskrit*, ou « écriture de l'origine ».)

La lettre hébraïque *aleph*, numériquement : 1, a pour valeur ésotérique : 3.

3 est le dernier nombre de la première suite ininterrompue de *nombres premiers* (1, 2, 3) — qui ont, par ailleurs, la propriété unique : $1 + 2 + 3 = 1 \times 2 \times 3$ (somme et produit égaux). Il est la somme du premier nombre impair (l'unité) et du premier nombre pair (la dualité) : il inaugure la suite des nombres impairs dits instables. (Les nombres impairs seront considérés, selon les cas, comme interprètes d'un mouvement *évolutif* ou *involutif*. Ils indiquent, dans ce sens, un certain libre choix ou libre arbitre.)

« Le Tao produit 1, 1 produit 2, 2 produit 3, et 3 produit tout... » (On reconnaît les concepts de Plotin : — « Néant super-essentiel » ; — « Seul l'Un existe » ; — « Trois hypostases ».)

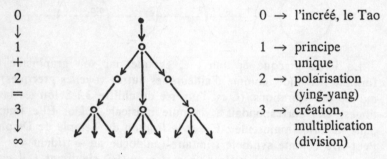

$$
\begin{array}{lll}
0 & 0 \to & \text{l'incréé, le Tao} \\
\downarrow & & \\
1 & 1 \to & \text{principe} \\
+ & & \text{unique} \\
2 & 2 \to & \text{polarisation} \\
= & & \text{(ying-yang)} \\
3 & 3 \to & \text{création,} \\
\downarrow & & \text{multiplication} \\
\infty & & \text{(division)}
\end{array}
$$

Les « trois points » maçonniques ont leur origine dans cette cosmogonie numérale. La « triangulation » symbolique se trouve également dans l'enseignement R + C. Dans ces philosophies, on trouve des ternaires tels que :

« Bien penser, bien dire, bien faire »
« Liberté, Egalité, Fraternité »
« Passé, présent, avenir »
« Sagesse, force, beauté » etc.

1 en 3 et 3 en 1, telle semble être la définition universelle de la divinité.

Le judéo-christianisme la représente par un triangle symbolisant la Trinité. Les Celtes représentaient la divinité par trois rayons correspondant à trois sons.

Ces trois lignes de lumière, parallèles, se rencontrent dans l'infini, dans l'invisible, dans l'incréé d'où ils sont issus. Ce sont les principes fondamentaux : statique, dynamique, équilibre (conscience) ; création, destruction, conservation, etc. Un hiéroglyphe égyptien représente ces trois rayons, issus d'un soleil :

On retrouve ce symbole trinitaire dans l'emblème breton (le « gwennadu ») et dans la fleur de lys :

En sanscrit, ce sont les trois lettres : A U M, c'est aussi le ternaire : *sat, chit, ananda* (existence, esprit, vie) ; ce sont les trois *gounas* (rajas, sattvas, tamas, principes de tous les phénomènes), etc., et, bien sûr, les trinités du Panthéon hindou : Brahma, Çiva, Vichnou ; Agni, Indra, Soma ; etc.

Dans l'alphabet hébraïque, on distingue les *trois* lettres mères : aleph, mem, schin.

Toutes les religions du monde donnent un triple aspect à la divinité, les énergies formatrices de l'univers étant et agissant par trois :

Les trois Hypostases des néo-platoniciens ;
Père, Fils, Esprit, dans le christianisme ;
Soleil, Lune, Terre, dans les religions naturalistes ;
Osiris, Isis, Horus, en Egypte ;
Baal, Astarté, Melkart, en Chaldée ;
Ormuzd, Ahriman, Mithra, en Perse ;
Oddin, Frega, Thor, en Scandinavie, etc.

Les déités mineures vont souvent par trois : les Furies, les Grâces... Il y a trois fois trois Muses.

L'Univers créé est à l'image du Créateur : c'est-à-dire triple dans ses manifestations :

La cellule initiale de toute vie manifestée comprend les principes du Père, de la Mère, de l'Enfant.

« Faisons l'homme à notre image et ressemblance », disent les Elohim créateurs. La cellule familiale humaine est le reflet inverse de la cellule tri-unitaire divine : le Père et la Mère symbolisent la polarité cosmique, et l'Enfant symbolise l'unité au sein de cette dualité.

Tous les phénomènes se résument dans un cycle ternaire ou triptyque (qui peut se répéter indéfiniment) :

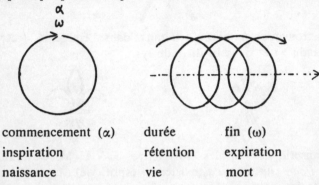

commencement (α)	durée	fin (ω)
inspiration	rétention	expiration
naissance	vie	mort

Le chiffre 3 est lié au cycle « mort-renaissance (ou résurrection) » : le *trépas* signifie le *triple pas*, la libération de la triple enveloppe physique, animique et mentale ; Jésus demandait « trois jours pour rebâtir le Temple » : il ressuscita le troisième jour après sa mort.

D'après la tradition, l'Univers se divise en trois mondes :

— le monde spirituel ;

— le monde animique ou psychique ;

— le monde matériel ou corporel (il y a *trois* règnes dans la nature : minéral, végétal, animal).

« Il y a trois mondes : le monde des corps, le monde des esprits et le monde de la charité, qui est surnaturel » (Pascal).

« Il y a trois essences : deux naturelles, une immuable » (Aristote).

« Il est évident qu'il y a ces trois mondes et point d'autres. Il y a les corps et les esprits créés, et puis il y a Dieu. Connaître ces trois mondes et *leur rapport* autant qu'il peut être donné à l'homme sur cette terre, *c'est la science* » (A. Gratry, *op. cit.*).

L'Homme, à l'image de l'Univers, est composé : esprit, âme, corps — correspondant anatomiquement à la tête, le tronc, l'abdomen.

La structure sociale idéale, selon Platon, est celle où les philosophes seraient au pouvoir (tête), obéis par les forces de l'ordre (tronc), lesquelles veillent sur le monde de la production (abdomen). La société celtique était organisée selon cette structure (classe sacerdotale, classe des guerriers, classe des « hommes de la fécondité » : artisans et paysans), que l'on retrouve à peu près au Moyen Age : clergé, noblesse, tiers état.

La tradition chrétienne ésotérique distingue *trois* Eglises :

— l'Eglise de Pierre — ou « corps mystique du Christ » — exotérique ;

— l'Eglise de Jean — ou « de l'âme » — mésotérique ;

— l'Eglise de Jacques — ou « de l'esprit » — ésotérique.

A ces *trois* Apôtres, présents à la Transfiguration (Matthieu 17.1, 4), on fait correspondre respectivement les fonctions de roi, prêtre et prophète — et les trois « sciences » traditionnelles : l'astrologie, la kabbale et l'alchimie. Ce sont également les attributs des *trois* Rois Mages. (La tradition considère parfois une quatrième Eglise, fondée par saint Paul, le Pharisien kabbaliste et Apôtre des « Gentils ». La tradition atteste également l'existence d'un *quatrième* Roi Mage, mystérieux...)

Les trois portiques de la basilique Saint-Pierre, à Rome, sont respectivement dédiés aux trois saints : celui de droite (en entrant), dédié à saint Jacques, est surnommé « la porte d'or » (l'allusion alchimique est transparente). La tradition veut que le Pape ouvre solennellement cette porte tous les vingt-cinq ans (1925, 1950, *1975,* 2000...)

Il y a *trois* parties dans le Grand Œuvre alchimique : l'œuvre au noir, l'œuvre au blanc, l'œuvre au pourpre — qui correspondent à la description par Dante, de l'enfer, du purgatoire et du paradis.

Le judéo-christianisme fait un large usage des cycles de *trois.*

Dans l'Ancien Testament :

Abraham est abordé par *trois* anges (Gen. 18, 2) ;
Moïse est caché *trois* mois (Ex. 2, 2) ;
Samson se joue de Dalila *trois* fois (Jg. 16, 15) ;
Sous le règne de David, une famine dura *trois* ans (2 S. 21, 1) ;
Par *trois* fois, Elie s'étendit sur l'enfant, qu'il ramena à la vie (1R 17, 21) ;

Trois amis dialoguent avec Job (Job 2, 11) ;
Nabuchodonosor jeta *trois* hommes dans la fournaise (Dn. 3, 24)
etc.

Il y a *trois* vertus théologales (la foi, l'espérance et la charité).
L'inscription que Ponce Pilate fit mettre sur la Croix du Christ était rédigée en *trois* langues (hébreu, grec et latin).

*
**

Au IVe siècle, le poète latin Ausone a écrit sur le nombre 3 un poème de quatre-vingt-dix vers ($90 = 3^2 + 3^4$).

La cosmogonie et la philosophie celtiques peuvent être résumées dans trois séries de 3^3 *triades*, soient 81 *triades* (Trioedd Barddas).

L'une d'elles dit : « Il n'y a que trois unités primitives : un Dieu, une Vérité, un point de Liberté où s'équilibrent tous les contraires... »

Il y a également la description des « *trois cercles de vie* », selon le druidisme (la valeur numérique accordée à ces cercles est respectivement de 81, 27, 9) :

— Le cercle de *Keugant* (le cercle vide) où il n'y a personne sauf Dieu, ni vivant ni mort, et il n'y a que Dieu qui puisse le traverser.

— Le cercle d'*Abred* (de la Nécessité : *ab,* fils ; *red,* nécessité) où chaque état de vie germe de la mort, et l'homme l'a traversé.

— Le cercle de *Gwenved* (de la Béatitude, monde blanc, de *gwenn,* blanc) où chaque état germe de la vie ; et l'homme le traversera dans le ciel. (Barddas Trioedd, traduites par Philéas Lebesgue.)

Dans la Kabbale, 3 est la Séphire : *Binah,* la Compréhension, l'esprit vivifiant.

Les trois premiers Séphiroth sont les sommets des *trois* Piliers qui soutiennent l'Arbre de vie : Rigueur, Miséricorde, Equilibre. Emanés de la « source » ces trois principes se retrouvent à tous les échelons de la création, comme « référence » au Créateur.

L'enseignement spirituel et initiatique, notamment selon Peter Deunov, est fondé sur le *ternaire* : Amour, Sagesse, Vérité...

Quatre

Le 4 se déduit du 2 et du 3 :

Double dualité, il est le premier nombre qui soit défini par un carré algébrique : 2^2. Il est, de ce fait, le nombre qui symbolise tout carré géométrique.

La tri-unité s'exprime 4 (3 + 1) — (graphiquement, le 4 est un triangle...). Le saint Tetragrammaton, ou nom ultime du Dieu révélé, est constitué de *quatre* lettres (yod, hé, vav, hé) qui sont un développement de *trois* (yod, hé, vav). La tradition représente souvent ce nom dans un triangle :

Il est curieux de constater que dans de nombreuses langues le nom divin a *quatre* lettres : ΘEOS, DEUS, DOUE, DIEU, GOTT... (grec, latin, celte, français, allemand).

Mais ce n'est pas le Dieu inconnu, secret, ce n'est pas l'incréé. C'est le Dieu connu par sa *manifestation*, sa *création*, sa *révélation*.

4 symbolise donc l'univers créé, formel, matériel, dans sa *relation* avec le monde spirituel.

Un adage dit : *tout acte répété deux fois est une habitude*. De même, *tout rythme répété deux fois est un enchaînement*... (2 × 2 en est l'expression.)

Or, qu'est la création sinon précisément un enchaînement de rythmes répétés ? Le 4 est la base de tout édifice durable dans un monde marqué par la dualité.

Premier nombre qui ne soit pas premier *(sic)*, 4 est aussi le premier nombre pair qui soit stable (le 2 est instable par essence : la dualité appelle la complémentarité, le 3. 2 n'est stable que dans son instabilité, il manifeste « la permanence de l'impermanence », c'est-à-dire l'univers en mouvement).

Bien qu'issu du 3 (esprit), le 4 (matière) a tendance à oublier sa source : il marque souvent la *limitation*, l'arrêt, dans l'évolution, l'enchaînement dans la causalité. Il a tendance à se « suffire à lui-même ». (Si le 3 trouve son accomplissement dans le 4, le 4 trouvera son dynamisme dans le 5 (l'homme). $3 + 4 = 7$ exprimera la création au sein de laquelle l'homme évolue. $3 \times 4 = 12$, exprimera le *microcosme humain*.)

La relation du monde spirituel et du monde matériel est exprimée par la philosophie des quatre éléments, ou quatre états de la matière (feu, air, eau, terre — états : igné (lumineux), gazeux, liquide, solide) qui montre l'interaction des éléments — auxquels correspondent les quatre sortes d' « esprits de la nature » : gnomes, ondins, sylphes, salamandres...

Un exemple : le Soleil (élément feu) par sa température crée les mouvements gazeux, les vents (élément air) qui à leur tour provoquent le mouvement des vagues (élément eau), lesquelles, par leur action, contribuent à l'érosion des roches du littoral (élément terre).

(La Table d'émeraude dit de la nature que « le Soleil en est le père, la Lune en est la mère, le vent l'a portée dans son sein, la Terre est sa nourrice... »)

Les états de la matière sont liés à la causalité, mais dépendent d'une hiérarchie, la cause provenant d' « En haut », l'effet s'exprimant « en bas » : les éléments les plus « subtils » agissant sur les plus « denses ».

On retrouve cette hiérarchie dans les principes qui composent le sphinx (ou « tétramorphe ») : une tête d'homme, des ailes d'aigle, des flancs de taureau, des membres de lion. Selon différents systèmes de correspondance — ils symbolisent, en relation avec les quatre éléments : l'esprit, l'âme, l'intellect et le corps, qui doivent être hiérarchiquement coordonnés.

Le prophète Ezéchiel, dans sa célèbre vision, voit « *quatre* êtres vivants » dont « chacun avait *quatre* faces et *quatre* ailes. Voici quelle était la ressemblance de leurs faces : une face d'*homme* par-devant, une face de *lion* à droite, une face de *taureau* à gauche, et une face d'*aigle,* à tous les quatre ». (Ez. I, 5-14.)

Dans l'Apocalypse (4, 6-8), saint Jean décrit quatre animaux *distincts.*

L'iconographie chrétienne, depuis saint Irénée, a attribué aux *quatre* évangélistes, les quatre animaux symboliques :

L'Homme (ou l'Ange) à saint Matthieu ;
Le Lion à saint Marc ;
Le Taureau (Veau ou Bœuf) à saint Luc ;
L'Aigle à saint Jean.

On leur fait également correspondre les quatre points cardinaux (signes astrologiques : Verseau, Scorpion, Lion, Taureau — respectivement signes d'air, d'eau, de feu et de terre).

La *rose des vents* symbolise bien l'*esprit qui souffle* dans les quatre directions de la Terre, à la fois pour *créer* et pour *révéler*. Ces directions sont également marquées par les quatre fleuves du Jardin d'Eden (Paradis terrestre).

Le quaternaire de la devise des alchimistes et rose-croix :

SAVOIR   VOULOIR   OSER   SE TAIRE

correspond aux qualités du tétramorphe : « Savoir avec intelligence (Homme) ; vouloir avec ardeur (Lion) ; oser avec audace (Aigle) ; se taire avec force (Taureau) » (Jules Boucher, *La Symbolique maçonnique*).

Les quatre instruments magiques (représentés sur les lames du Tarot) matérialisent ces forces :

Savoir : la coupe (le « Graal ») ;
Vouloir : le bâton (pouvoir virtuel) ;
Oser : l'épée (pouvoir agissant) ;
Se taire : le cercle — ou le denier (protection).

4 n'est le nombre de la matière formelle que parce qu'il est d'abord le nombre de l'*esprit en activité* (donc créateur de formes). (La force et l'astuce agissante ne sont-elles pas bien incarnées dans ce « carré d'as » que furent les « trois » mousquetaires : Athos, Porthos, Aramis, d'Artagnan, décrits par l'*initié* A. Dumas ?)

Pythagore distingue *quatre* aspects de l'Esprit : Hylé, Psyché, Nous, Agathon.

Les *Vedas* comptent *quatre* états de conscience : jâgrat, swapna, soushoupti, tourya (veille, sommeil avec rêves, sommeil profond, conscience spirituelle).

L'arithmétique universelle connaît quatre opérations fondamentales (addition, soustraction, multiplication, division).

4 peut être à la fois le nombre de l'esprit logique, et le nombre de la communion avec la nature. (Il s'appliquerait donc bien au druidisme antique, comme à l'écologie moderne...)

Dans la Kabbale, la quatrième Séphire se nomme : *Chesed*, la

Miséricorde. Elle symbolise l'intelligence réceptive, l'ordre, la justice et l'amour dans leur aspect positif.

La Kabbale distingue *quatre* mondes où s'inscrivent les 10 Séphiroth :

· le monde de l'émanation	Atziluth	1
		3 2
· le monde de la création	Briah	5 4
		6
· le monde de la formation	Yetzirah	8 7
		9
· le monde de l'action	Asiah	10

La relation du 4 au 10 — chiffres symbolisant l'intégralité de l'univers — est également donnée par la Tétraktys de Pythagore dans une disposition différente :

feu (esprit)	1	1	· esprit créateur
air (âme)	1 2	2 3	· matière
eau (intellect)	1 2 3	4 5 6	· union de l'esprit et de la matière
terre (corps)	1 2 3 4	7 8 9 10	· forme créée

La médecine d'Hippocrate était entièrement basée sur l'*harmonie* entre les quatre éléments.

Titus Burckhard écrit (dans *l'Alchimie, Science et Sagesse*) : « ... les deux triangles entrecroisés du sceau de Salomon ✡ ... symbolisent également la synthèse des quatre éléments ».

« ... La médecine dite traditionnelle s'appuie également sur ces mêmes principes, les quatre éléments correspondant aux quatre sucs vitaux » (ou humeurs).

Ils correspondent également aux quatre tempéraments (types physiologiques) — sanguin, lymphatique, bilieux, nerveux — qui sont toujours pris en considération par les médecins homéopathes et naturopathes, et par les médecins anthroposophes, notamment.

La médecine ayur-védique utilise ces mêmes principes.

On peut déduire des éléments, comme faisaient Platon et Aristote, les propriétés physiques : chaud, froid, humide, sec — et inversement :

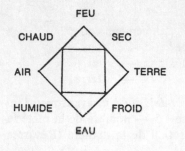

	Chaud	Froid
Humide	état gazeux AIR	état liquide EAU
Sec	état igné FEU	état solide TERRE

Le rythme des quatre saisons (en pays tempéré) correspond à l'action cyclique de ces propriétés, que l'on peut représenter par deux courbes (exemple d'un double rythme (2 × 2) entraînant un cycle de 4) :

	Chaud	Froid
Humide	PRINTEMPS AIR	HIVER EAU
Sec	ÉTÉ FEU	AUTOMNE TERRE

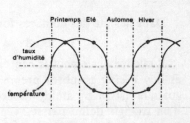

Divers rites initiatiques (notamment dans la tradition maçonnique) symbolisent la purification par les *quatre* éléments. La tradition gnostique connaissait également l'usage des quatre éléments à des fins de purification et de guérison (cf. *L'Evangile de la Paix*, transcrit par Ed. Székely, Editions Genillard, Lausanne).

Le 4 symbolise l'épreuve initiatique, la *porte* à passer, la *table* sacrificielle, la *Croix* du Christ. Le poème de F. Jammes, chanté par Georges Brassens, évoque cette réalité vécue :

> *Par les quatre horizons*
> *Qui crucifient le monde*
> *Par tous ceux dont la chair*
> *Se déchire ou succombe...*
> *Je vous salue Marie !...*

Sur la croix était portée l'inscription : Iesus Nazarethus Rex Iudeorum, dont les initiales — INRI — furent interprétées par les alchimistes : « Igne Natura Renovatur Integra », et par les Kabbalistes :

en hébreu :   *I*am   : la mer   : élément eau
              *N*our   : la lampe :   —   feu
              *R*ouach   : le souffle :   —   air
              *I*abeshah   : le sel   :   —   terre

Au-delà des éléments, 1, 2, 3, 4, *au-delà du feu*, ayant reçu l'initiation, l'homme incarne la conscience : 5 — nombre de la matérialisation de l'esprit et de la spiritualisation de la matière (Résurrection).

Cinq

Dans la suite des nombres fondamentaux de 1 à 9, 5 est au *centre* :

$$1 \quad 2 \quad 3 \quad 4 \quad 5 \quad 6 \quad 7 \quad 8 \quad 9$$

Il occupe également le centre dans le carré magique de base 3^2 — et il y a *cinq* nombres premiers (1, 2, 3, 5, 7). Sa représentation spatiale est la pyramide (5 sommets, 5 faces). 5 est l'hypoténuse d'un triangle défini par ses « prédécesseurs » directs : 3 et 4 ; c'est le plus simple exemple du théorème de Pythagore ($5^2 = 3^2 + 4^2$).

Les puissances de 5, dans le système de numération décimale, ont la particularité de toujours donner la désinence 5 : $5^3 = 125$; $5^6 = 3\,125$; etc.

5 est la base de la numération latine (V, X, L, C, D, M, etc. : 5, 10, 50, 100, 500, 1000, etc. — IV = 4 ($5 - 1$) ; VII = 7 ($5 + 2$)...)

Il n'existe que *cinq* polyèdres réguliers convexes (tétraèdre, cube, octaèdre, dodécaèdre, icosaèdre).

D. Neroman note à ce sujet que Dieu Lui-même « ne peut pas faire un polyèdre de 10 faces, de 16 faces, etc. Il ne pourrait le faire qu'en détruisant le Cosmos que nous connaissons, et en en construisant un autre. N'est-ce pas dire que le *nombre régit tout*, dans le *Cosmos* qui est ce qu'il est ? »

La tradition voit dans le 5 le symbole de la *conscience incarnée,* donc conditionnée par la perception sensorielle. (Matière 4 + Esprit 1).

On posait un jour au célèbre médium Edgar Cayce la question suivante : « Pourquoi le chiffre 5 a-t-il été choisi pour la projection des cinq races ? » La question se réfère à d'anciens mythes concernant la création de l'humanité. (*Visions de l'Atlantide,* éd. « J'ai Lu ».)

La réponse fut étrange : « Ceci, cet élément représente *l'homme dans sa forme physique* et les attributs lui permettant de prendre conscience du spirituel et du physique. *Comme les sens* ; comme la sensation des forces diverses qui apportent à l'homme l'activité dans la sphère où il se trouve... »

« Parmi les habitants de l'Atlantide (au milieu de formes diverses, les " corps-pensées ")... le plus idéal (comme nous dirions) était Adam, qui vivait à cette période où il apparut, *en tant que cinq en un...* Vous voyez ? »

Essayons. Le corps humain — que l'on représente traditionnellement dans une étoile à cinq branches — est la seule *jonction* entre le monde intérieur (le spirituel) et le monde extérieur (le physique) : les *cinq* sens permettent à la conscience de percevoir le monde extérieur.

Les Chinois ont systématisé *cinq modes* de perception du monde extérieur : à leurs cinq éléments : eau, feu, bois, métal, terre (numérotés 1, 2, 3, 4, 5, mais valant respectivement : 8, 7, 5, 9, 6) correspondent cinq notes de musique (vibrations sonores) : Yo, Tche, Kio, Chang, Kong ; cinq couleurs (vibrations lumineuses) : noir, rouge, vert, blanc, jaune ; cinq saveurs : salée, amère, acide, âcre, douce ; cinq sentiments : colère, plaisir, joie, peine, amour ; cinq viscères : reins, poumons, rate, foie, cœur ; cinq qualités spirituelles : gravité, bon ordre, science, entente, sainteté, etc. ; cinq orients : Nord, Sud, Est, Ouest, la Terre (au Centre).

Dans leur ouvrage *La cybernétique des sens — ou : Si l'homme voulait,* José Jazan et Jean Rollet parlent de « l'Homme factorielle 5 »...

Ils distinguent les « sens subjectifs ou mentaux » et les « sens objectifs ou physiologiques ». « Ces deux fois cinq sens agissent dans deux directions : 1° de l'homme vers l'extérieur ; 2° de l'extérieur vers l'homme... C'est ce qui nous permet de dire que nous possédons vingt sens. » (Comme nous possédons quatre fois cinq doigts...)

Ils vont plus loin en calculant le nombre de combinaisons sensorielles possibles, qu'ils évaluent à 5 ! + 4 ! + 3 ! + 2 ! + 1 ! — soit : 120 + 24 + 6 + 2 + 1 = 153. C'est, curieusement, le nombre exact de poissons attrapés par les disciples du Christ lors de la seconde pêche miraculeuse relatée par saint Jean (Jn. 21, 11).

Pour certains tests de parapsychologie — science qui étudie notamment les phénomènes de perception extrasensorielle (E.S.P.) — on utilise les *cartes de Zener*, qui sont au nombre de *cinq* et dont le graphisme correspond incontestablement aux cinq premiers nombres :

L'Homme — « le chiffre élu, tête auguste du nombre »... (Victor Hugo) — se définit par le champ de ses perceptions, et de fait, comme le pensaient les Anciens — et comme le pense un philosophe contemporain, Jean E. Charon — *l'homme est la mesure de l'univers*.

Le sens de la « mesure » était la qualité la plus honorée chez les Grecs. Ils distinguaient l'homme parfait, « kalos kagatos », *beau et bon*.

La mesure, c'est la faculté de connaître ses propres limites comme les limites du monde extérieur, pour être éventuellement capable de les dépasser...

L'équerre et le compas sont les prolongements extérieurs, les instruments de cette faculté intérieure.

Le pentagramme — ou pentacle — qui est une expression géométrique du nombre 5 — et symbolise l' « homme parfait » (c'était l'emblème de Pythagore) — peut se construire à partir de la *section d'or*, à l'aide de l'équerre et du compas. Le symbolisme maçonnique représente parfois l'équerre et le compas inscrits ou circonscrits dans le pentagramme (ou « Etoile flamboyante ») :

Dans son graphisme, le pentagramme symbolise l'union du principe mâle et du principe femelle (en une *entité unique*) : il est donc l'image de l'androgyne — qui est l'être humain parfait des origines. Symbole de l'exaucement et de l'accomplissement, il est, de ce fait, largement utilisé par les magiciens.

Le culte de la perfection du corps humain inspira aux Grecs la création des Jeux Olympiques. Ils inventèrent notamment une série de *cinq* épreuves — le Pentathlon — qui est encore pratiquée de nos jours. Les J.O. contemporains ont choisi pour emblème *cinq* anneaux enlacés — symbolisant les cinq parties du monde représentées dans ces joutes amicales et sportives par l'élite des athlètes de chaque peuple.

Un être qui exprime l'harmonie et la beauté est, par lui-même, la « mesure » de l'harmonie du monde. Cette vérité a inspiré à Jean Giraudoux les paroles qu'il met dans la bouche d'un géomètre antique (*La Guerre de Troie n'aura pas lieu*) :

« ... Depuis qu'Hélène est ici, le paysage a pris son sens et sa fermeté. Et, chose particulièrement sensible aux vrais géomètres, il n'y a plus à l'espace et au volume qu'une commune mesure qui est Hélène. C'est la mort de tous ces instruments inventés par l'homme pour rapetisser l'univers. Il n'y a plus de mètres, de grammes, de lieues. Il n'y a plus que le pas d'Hélène, la coudée d'Hélène, la portée du regard et de la voix d'Hélène, et l'air de son passage est la mesure des vents. Elle est notre baromètre, notre anémomètre ! »

La perception de la beauté humaine serait donc la « commune mesure » de toutes choses.

On peut représenter, graphiquement, la *jonction* de l'esprit (3) et de la matière (4) dans le 5 :

qui est à la fois l'homme et le *temple*.

Par ailleurs, l'homme $(5 = 2 + 3)$ garde un caractère instable de dualité (2) malgré sa divinité (3) : *tout dépend de son choix*.

Le 5, chiffre impair, peut donc symboliser la *perception* et l'*expression* de l'homme dans deux directions opposées :

— soit la disharmonie et l'involution — par l' « amour de la puissance » ;

— soit l'harmonie et l'évolution — par la « puissance de l'amour ».

C'est, dans un certain sens, ce que symbolisent les *cinq* vierges folles et les *cinq* vierges sages de la Parabole. Elles correspondent, analogiquement, aux cinq doigts de la main gauche (maladresse) et aux cinq doigts de la main droite (habileté) — les deux mains correspondent par ailleurs à la réceptivité (gauche) et à l'activité (droite).

O.M. Aïvanhov explique *(op. cit.)* :

« Le pentagramme est un homme bien planté sur ses pieds et qui travaille, avec ses mains, d'après les conseils d'une tête bien placée : l'intelligence domine en lui, la clarté et la lucidité orientent et déterminent ses actes. »

« Le pentagramme renversé est le symbole d'un être qui a mis la tête en bas, c'est-à-dire qu'en lui, l'intelligence est soumise aux désirs... »

« Quelles sont les *cinq* qualités de l'homme parfait ? Bonté, justice, amour, sagesse, vérité. »

(La bonté correspond aux jambes, la justice aux mains — distribution —, l'amour à la bouche — le « verbe » —, la sagesse aux oreilles — clairaudience —, la vérité aux yeux...)

« Ces cinq vertus sont aussi représentées dans les cinq doigts de la main. »

Jésus, le Christ, est un exemple idéal de cette perfection.

Virgil Gheorghiu, prêtre orthodoxe, écrit dans l'un de ses romans (*L'Espionne*, Plon) : « Le prêtre bénit... Il dispose les cinq doigts de sa main droite de manière à ce qu'ils forment les initiales de

Jésus-Christ en langue grecque. C'est avec ses doigts transformés en lettres qu'il fait le signe de la croix... Chaque fois qu'il accorde sa bénédiction en formant avec sa main le monogramme du Christ, il est certain que le Créateur a fait cinq doigts aux mains des hommes pour que chacun puisse avoir le saint nom de Dieu dans ses doigts. Si le Créateur avait fait des mains différentes, l'homme n'aurait pas possédé le monogramme du Christ. »

En hébreu, Jésus s'écrit יהושע (yod, hé, vav, schin, hayin), soit *cinq* lettres dont les trois lettres du Tétragramme : יהו.

En astrologie, l'axe Vierge-Poissons est celui de l'Incarnation du Christ. On représente la Vierge avec un épi de blé, dont on fait le pain. Or, l'Evangile raconte comment Jésus nourrit toute une foule avec *deux poissons* et *cinq pains*. Pourquoi cinq ? Comme nombre du Christ, en relation avec le pain, il annonce l'Eucharistie.

Nous avons vu comment le carré magique de base 5 :

```
S A T O R
A R E P O
T E N E T
O P E R A
R O T A S
```

pouvait être en relation avec le Christ rédempteur. La notion de « roue » semble jouer un rôle important dans ce « cryptogramme mystique ».

Titus Burkhard écrit : « Sur le plan alchimique, le moyeu de la " roue " est la *quinta essentia*. On entend par là soit le pôle spirituel des quatre éléments, soit leur substance fondamentale commune, l'éther, dans lequel ils sont intimement confondus » *(op. cit.)*.

Breyer donne comme suite des éléments : terre, eau, air, feu mobile, feu fixe. Ce dernier semble correspondre, dans le langage alchimique, à certaines qualités de l'éther, à un état de la matière, au-delà du plasma.

Le texte celtique des Barddas indique *cinq* éléments : *Kalas,* matière dure ; *Gwyar,* matière humide ; *Fun,* matière gazeuse ; *Ufel,* matière ignée ; *Nwyvre,* éther, matière céleste. Ce dernier mot : *Nwyvre,* est souvent entendu dans le sens des courants telluriques, des forces souterraines, des énergies corporelles analogues à la *kundalini* hindoue. C'est le feu commun au Ciel et à la Terre, que l'homme unifie.

Dans la Kabbale, la 5ᵉ Séphire est *Geburah,* la Force, le Pouvoir. La tradition parle d'un Juif errant qui, depuis l'époque du Christ, parcourt le monde avec une fortune de *cinq* deniers, symbolisant le pouvoir spirituel.

Les *cinq* livres que l'on attribue à Moïse — et dont la teneur kabbalistique ne fait pas de doute — constituent le *Pentateuque* : Genèse, Exode, Lévitique, Nombres, Deutéronome.

**

« La mesure est la base de toute description de l'Univers. Mais la mesure, c'est précisément l'homme ! » affirmait Jean Charon (*Planète* n° 2).

Or, nous l'avons vu, la limite de cette perception de l'Univers, c'est notre limite sensorielle. Le télescope le plus puissant ne guérit pas la myopie, et ce que nous ne pouvons pas « toucher » (à travers les cinq sens) échappe le plus souvent à notre compréhension.

Le nombre 5 semble à la fois indiquer la *force* et les *limites* de l'homme dans sa maîtrise de l'Univers.

Dans un saisissant article intitulé « Les treize mystères du nombre cinq » (*Nouveau Planète,* n° 19), Jacques Bergier faisait un tour d'horizon sur toutes les étonnantes frontières que semble marquer ce nombre.

Dans le domaine mathématique :

— « Au-delà de la quatrième puissance de l'inconnue, les équations ne sont plus solubles par des moyens algébriques. »

— « L'Univers n'a que quatre dimensions, trois d'espace, une de temps. Et on n'a jamais pu établir l'existence d'une cinquième. »

— « Il faut quatre couleurs pour teindre n'importe quelle carte placée sur un plan ou une sphère [de telle façon que deux régions de même couleur n'aient jamais une frontière commune]. On ne connaît aucune carte qui exige cinq couleurs, si compliqué que puisse être le tracé. On ne peut pas démontrer pourquoi. »

— « Dans la théorie mathématique des groupes, il faut inventer des algèbres nouvelles chaque fois que l'on rencontre le nombre 5. »

— « Eric Temple Bell (connu en science fiction sous le nom de John Taine) a écrit un livre là-dessus et publié d'importants travaux. Il en résulte en particulier que par chaque point d'un plan il passe une courbe du cinquième ordre et une seule. »

Dans les domaines de la physique et de l'astrophysique :

— « Deux bulles de savon se coupent suivant un plan, trois suivant une droite, quatre suivant un point, mais cinq ne peuvent pas se rencontrer. » (Expériences difficiles à réaliser sans inondations...)

— « Il n'existe pas de noyaux stables possédant cinq particules, alors qu'il existe un noyau, quelquefois instable et quelquefois radioactif pour tous les nombres jusqu'à 275... Les noyaux d'hélium ou de lithium à cinq particules explosent presque avant de s'être formés. On ne sait pas pourquoi. »

— « Il y a pas de cinquième planète, mais une ceinture d'astéroïdes comme si la cinquième planète avait explosé. »

— « La synthèse de la matière dans les étoiles emprunte des chemins faisant le tour du nombre 5. On n'arrive pas à en déterminer la raison. »

— « Les liquides doivent leur état particulier à une organisation autour du nombre 5. » (Les travaux de Pauling et de Bernal ont en effet établi que les molécules d'eau sont « groupées » selon une symétrie d'ordre 5, c'est-à-dire selon une structure « pentéadrique » qui explique, physiquement, pourquoi l'eau « coule ». Piccardi et Giao ont établi que ces structures sont sensibles aux champs de force galactiques — ce qui fait de l'eau, en relation avec le nombre 5, *l'intermédiaire entre les forces cosmiques et les êtres vivants*.)

— « Il n'existe pas de cristal ayant une symétrie basée sur le nombre 5. »

Dans le domaine de la biologie, par contre :

— « De nombreuses formes vivantes comme l'étoile de mer... ont une symétrie basée sur le nombre 5. »

Ainsi que des fleurs telles que la pensée, l'églantine, la capucine...

— « A l'origine, toutes les formes terrestres vivantes avaient cinq doigts, ce qui est encore vrai pour l'homme. » (On a, en effet, découvert des fossiles — ainsi que des peintures préhistoriques — d'animaux à cinq doigts qui, de nos jours, possèdent des sabots. Dégénérescence ou adaptation ?)

« C'est tellement de coïncidences, conclut Jacques Bergier, qu'on peut penser à une loi naturelle... d'après laquelle les liquides et la matière vivante seraient particulièrement liés au nombre 5, tandis que les solides et la matière morte auraient des rapports particuliers avec des nombres inférieurs à 5... [Mais existe-t-il une matière " morte " ?] »

« ... En attendant qu'apparaisse un nouvel Einstein mettant au point cette loi, il est peut-être profitable et certainement intéressant d'examiner ce qu'il peut y avoir au-delà des diverses barrières repérées par le nombre 5. »

Cette présente étude essaie de contribuer à cette recherche. Certes, « on n'a jamais pu établir l'existence d'une cinquième dimension », du moins par les moyens actuels de la méthode scientifique expérimentale. Mais il semble que par des voies métaphysiques (ou par des « procédés » hallucinogènes, yogiques, ou autres) l'accès aux 5ᵉ, 6ᵉ, 7ᵉ dimensions soit ouvert. J. Bergier émet l'hypothèse que si l'on découvre une cinquième dimension de l'univers, ce serait soit une quatrième dimension de l'espace, soit une seconde dimension du temps. Mais pourquoi pas une dimension où le temps et l'espace seraient confondus ? ou dépassés ?

On exprime, mathématiquement, les dimensions par la puissance algébrique ; n^0 (puissance zéro) est représenté par un point ; n^1 est représenté par une ligne ; n^2 par une surface ; n^3 par un volume ; n^4 par un mouvement : on voit comment chaque puissance « transcende » la précédente. Un être hypothétique habitant deux dimensions sera incapable de concevoir la troisième dimension (ce qui ne prouve pas son inexistence).

Si les nombres contribuent à donner une définition mathématique (donc scientifique) de la transcendance, on peut dès lors considérer la métaphysique et la théologie comme des sciences exactes.

Selon la tradition, le 5 marque *la porte de l'humainement concevable*.

Cette porte une fois franchie, l'homme est un dieu, capable de créer par sa seule pensée.

Six

Le nombre six est à la fois la *somme* et le *produit* des trois premiers nombres ($1 + 2 + 3 = 1 \times 2 \times 3 = 6$). (De plus : $6^2 = 1^3 + 2^3 + 3^3$). Il est donc particulièrement lié à la source de toutes choses et au processus de création.

Symbolisé par le sceau de Salomon ✡ , qui représente la Source unique comme union créatrice des deux principes (△ yang et

▽ yin — mâle et femelle — etc.), le 6 est également nombre d'harmonie. (Le mot « six » vient du latin *sex*, parent de *sexus*.)

Nous avons vu que le 3, impair, est dit instable : c'est-à-dire que son orientation peut être évolutive ou involutive. Le 6 est la *jonction* de deux tendances : il réalise l'harmonie entre les processus de création (diversification, multiplication) et de réintégration (unification), autrement dit, il réalise l'union de Créateur et de créé.

Le premier mot de la Bible בראשית Bereschit, signifie ésotériquement le « Créateur de l'hexade » (c'est également le premier mot de l'évangile selon saint Jean) : « Six, dans le principe (Bereschit), il créa six (bara schit). » Ainsi, la cosmologie kabbalistique a lié le nombre 6 à l'origine de la création, qui se déploie, symboliquement, sur *six* jours.

Mgr Jean de Saint-Denis en fait l'interprétation suivante : « L'esprit est nommé dans ce qui précède les six jours, la Parole est proclamée pendant les six jours. Le septième jour l'Univers est destiné à s'élever vers le Père ; six jours tu travailleras, ordonne la Loi, et tu consacreras le septième jour au Seigneur ton Dieu.

« L'hexaméron (six jours) débute avec le troisième verset [de la Genèse]. Les nombres se déploient, le Verbe coordonne le monde par " poids, nombre et mesure ". Là où est la Parole divine naît le langage des nombres. Là où sont les mots agissants et les phrases créatrices du Logos, là aussi se trouvent les rapports des lettres sacrées, et chacune correspond à un nombre qui mesure le poids de l'œuvre... *(op. cit.).*

« ... Le sixième jour (de la création), ajoute-t-il plus loin, se termine sur le commandement de la nourriture *. » Or 6 est également un des nombres de la communion eucharistique et du « banquet nuptial ».

Le sixième sens est la synthèse des *cinq* sens physiques et la porte des sens métaphysiques : l'intuition (liée au « 3ᵉ Œil »).

La 6ᵉ Séphire de la Kabbale : *Tiphéreth,* désigne l'Harmonie, la Lumière, la Vie, la Beauté. Son symbole est le Soleil. Elle corres-

---

* « Je vous donne toutes les herbes portant semence, qui sont sur toute la surface de la terre, et tous les arbres qui ont des fruits portant semence : ce sera votre nourriture » (Gn. 1, 30). La « Bible de Jérusalem » commente en note : « Image d'un âge d'or où hommes et animaux vivent en paix, se nourrissant de plantes. » Mais, après le Déluge : « Tout ce qui se meut et possède la vie vous servira de nourriture, je vous donne tout cela au même titre que la verdure des plantes. Seulement vous ne mangerez pas la chair avec son âme, c'est-à-dire le sang. » (Gn. 9, 3.)

pond, dans l'anatomie cosmique, au plexus solaire — ou shakra du cœur — d'où rayonne l'amour cosmique.

Sept

Le nombre *sept* est remarquable tant par ses propriétés arithmologiques que par sa profonde puissance d'évocation symbolique et mystique.

Trois était le produit d'une première polarisation de l'Unité :

En poursuivant ce processus, on obtient *sept* — qui est donc le résultat d'une *double polarisation de l'unité* :

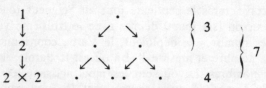

7 (nombre premier) est le seul nombre de 1 à 10 à n'être (arithmétiquement) ni multiple ni diviseur d'un nombre de 1 à 10.

Dans la numérologie symbolique, on a :

3 (le ciel) + 4 (la terre) = 7, la totalité de l'Univers créé. La tradition considère toutefois que certains « mondes » — ou plans vibratoires — ne sont pas directement inclus dans le 7, de même que certaines longueurs d'ondes lumineuses (infra-rouge et ultra-violet) n'appartiennent pas au spectre solaire (7 couleurs).

L'intégration parfaite du « ternaire d'en haut » et du « ternaire d'en bas », c'est-à-dire l'union du ciel et de la terre, est également symbolisée par le 7 :

$$7 = 3 + 1 + 3$$

7 est à la fois chiffre de création et chiffre de la relation vivante entre le divin et l'humain.

Le processus essentiel de la « création » est en fait le même que celui de la « polarisation » de la Lumière, et de sa décomposition, par le prisme, en rayons de différentes longueurs d'onde, notamment en *sept* couleurs visibles. Schématiquement :

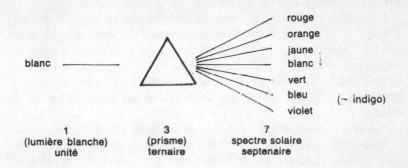

analyse de la lumière

Par analogie avec le spectre solaire, le 7 est considéré comme la manifestation immédiate du 1 par le 3.

(Remarquons qu'à partir de *trois* couleurs fondamentales on peut reconstituer tout le spectre, soit les *sept* couleurs de l'arc-en-ciel. Nous avons vu comment les notions d'*analyse* et de *synthèse* se rattachent au 3 : le prisme en est l'illustration, en ce qui concerne la lumière.)

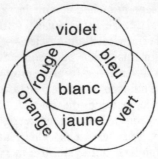

synthèse de la lumière :
$7 = 3 = 1$

« Le rapport entre le nombre 3 et le nombre 7 pose un des problèmes clefs de la science numérale » (Abellio).

Ce n'est autre que le rapport de la « source » — le divin ou le Soleil — et de sa manifestation — éléments physiques et chimiques de la planète, issus du Soleil. Dans l'ordre de la biologie, ce rapport se traduit par la photosynthèse (synthèse d'un corps chimique, de substances organiques — glucides — à l'aide de l'énergie lumineuse, par les végétaux chlorophylliens).

Les physiciens — et certains ésotéristes — ne considèrent pas l'indigo comme une couleur fondamentale du spectre : ce n'est qu'une nuance, entre le bleu et le violet (il existe une infinité de « nuances » colorées...). En fait, le *blanc* se retrouve dans l'analyse de la lumière, et constitue donc une « couleur » à part entière : il symbolise l'étincelle divine qui se retrouve au cœur même de la matière.

Les sept « émanations » lumineuses sont décrites par la Tradition comme sept rayons de création (involution) et de réintégration (évolution). A chaque rayon correspond un « deva » : divinité ou ange tutélaire.

Rudolf Steiner parle des « sept enfants de Lucifer ». Lucifer, le « porteur de lumière » (c'est ce que signifie son nom), n'est pas l'ange *déchu* des théologiens, mais l'ange qui a *sacrifié* son intégrité (son unité) pour permettre la Création — en sept couleurs, ou en sept « plans ». C'est en ce sens, et en nul autre, qu'il est le « Prince de ce Monde ». (« Satan » est une caricature de Lucifer. Il symbolise les « accidents de parcours » dont parle Teilhard de Chardin à propos de l'Evolution.)

Les Perses distinguaient sept *amchaspands,* ou grands génies.

Le judéo-christianisme parle de sept principaux archanges.

Un chandelier à sept branches éclaire le sanctuaire.

Lorsque, après le Déluge, un nouvel ordre d'inspiration divine est instauré sur la Terre, c'est l'arc-en-ciel — qui restitue le prisme solaire — qui est choisi par Dieu pour signe de sa nouvelle Alliance avec les générations à venir : « Je mets mon arc dans la nuée et il deviendra un signe d'alliance entre moi et la terre. » (Gn. 9, 12.)

Une vieille légende celtique dit que si l'on va chercher *à la racine* de l'arc-en-ciel, on découvrira, en terre, un chaudron d'or qui exauce magiquement tous les vœux. On peut y voir une allusion au Graal (vase) de lumière, qui symbolise la synthèse de la connaissance et de l'amour.

Le nombre 7 est lié au *rayonnement* de la lumière. Le feu de la Saint-Jean, selon l'antique coutume des Celtes, doit être allumé sur une colline, d'où il se voit à *sept* lieues à la ronde (cf. Paul Bouchet, *Le Mystère de Perrière-les-Chênes*).

L'héraldisme — qui est une discipline artistique et symbolique traditionnelle — utilise *sept* émaux (ou teintes) correspondant aux sept planètes : or (Soleil), argent (Lune), pourpre (Mercure), sinople (Vénus), queules (Mars), azur (Jupiter), sable (Saturne). (= jaune, blanc, pourpre, vert, rouge, bleu, noir.)

Aux sept vibrations lumineuses répondent sept vibrations sonores, qui sont également liées à la création : « Au commencement était le Verbe, et le Verbe s'est fait chair » : la vibration unique originelle s'est démultipliée et différenciée dans la forme.

Selon le psaume 29, il y a sept « clameurs » de Dieu qui se manifestent dans les phénomènes célestes.

La « Mosquée du Roi » à Ispahan (Iran) possède une coupole qui, de l'intérieur, renvoie un écho à sept reprises : symbole des « sept émanations » du Verbe divin ?

Il y avait sept tours « résonnantes » à Byzance.

Les gnostiques considéraient et utilisaient les sept voyelles grecques : α, ε, η, ι, ο, υ, ω (alpha, epsilon, êta, iota, omicron, upsilon, ômega) à la fois comme *sons magiques* et pour désigner les notes de musique. D'ailleurs, leur instrument de prédilection était la lyre heptacorde (dite « lyre d'Apollon »). A chaque note de musique correspondait symboliquement un nombre et une planète (cf. l' « harmonie des Sphères ») : Chronos ($\hbar$), Zeus ($\mathcal{2}$), Arès ($\male$), Hélios ($\odot$), Aphrodite ($\female$), Hermès ($\mercury$), Séléné ($\leftmoon$). (Ce sont, sous leurs noms grecs, les sept planètes de l'alchimie. Les sept lettres doubles de l'alphabet hébraïque : Beth, Ghimel, Daleph, Kaph, Pé, Resch, Tau, leur correspondent dans la Kabbale.)

La « flûte de Pan » avait sept tuyaux.

L'Inde possède également un instrument à sept cordes : la *vînâ*.

La division de l'octave musicale en sept intervalles musicaux, déterminant sept notes, a été universellement adoptée.

Si les sept « plans vibratoires » de la création existent simultanément, ils peuvent être considérés également comme des émanations successives et hiérarchiques de la source incréée : mathématiquement parlant, ce sont les sept dimensions de l'Univers (les 5e, 6e et 7e dimensions se situent « au-delà » de l'espace-temps, plus proches de l' « incréé » que le monde matériel) ; physiquement parlant, ce sont sept « états » de la matière — les quatre « éléments » étant les plus denses.

La tradition parle des *sept ciels*. Le « septième ciel », dans le langage populaire, est synonyme de plénitude, notamment dans l'amour : c'est précisément, selon la tradition, le « plan vibratoire » le plus proche du Créateur, qui, comme dit saint Jean, est un Dieu d'amour.

A l'image des sept plans de l'Univers, l'être humain possède sept « corps » subtils, constitués chacun en sept étages — dont les chakras, ou plexus, sont les témoins psycho-physiologiques.

Egalement appelés « centres de force », les chakras véhiculent l'énergie cosmique (représentée par deux courants : *idâ* et *pingalâ*, qui constituent la « kundalini » des plans les plus matériels aux plans les plus subtils (et inversement) :

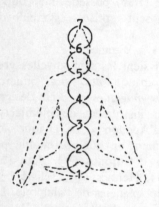

7. sahasrâr a-chakra (brâhma-randhra) : chakra « coronal »

6. âjna-chakra : plexus caverneux, chakra « frontal »

5. viçuddha-chakra : plexus laryngien et pharyngien

4. anâhata-chakra : région du cœur

3. manipûra-chakra : plexus épigastrique

2. svâdhishâna-chakra : plexus sacré

1. mûladhâra-chakra : plexus sacrococcygien

Le « caducée d'Hermès » symbolise ces deux courants — yin et yang — qui parcourent tous les plans de l'univers, les vivifiant et les harmonisant. Les médecins — qui arborent ce signe sur le pare-brise de leurs voitures — en connaissent-ils la signification ? La médecine d'Hippocrate était une médecine « cosmique ». Mais qu'en savent ceux qui prononcent, de nos jours, le « serment d'Hippocrate » ?

De même qu'il y a sept plans successifs par lesquels on descend « du ciel à la terre », de même il faut gravir sept marches successives pour acquérir la plénitude de la conscience cosmique (*septième* sens, ou perception divine).

La Ziggourat babylonienne (tour de Babel) avait sept étages. A la fois temple et palais, où l'on honorait la divinité *et* le roi, ce bâtiment symbolisait l'unité de la terre et du ciel.

Un ouvrage tibétain rassemble « Les sept livres de la Sagesse du Grand Sentier »...

Il y a, dans les enseignements ésotériques, sept degrés d'Initiation (dont chacun est subdivisé en sept). Un Maître disait : « Il y a sept portes et derrière chaque porte il y a sept sentiers. A vous de comprendre ! » ($7 \times 7 = 49$.)

Les mystiques juifs et musulmans disent que les Ecritures ont plusieurs sens, généralement 3 ou 7. Mais le Zohar indique qu'il existe 49 interprétations des Ecritures (on en a dit autant du Coran) et va même jusqu'à 70 degrés d'interprétations !

Le passage d'un degré à un autre constitue une véritable « mort » sur un plan suivie d'une renaissance sur un autre plan. C'est ce que symbolisent les épreuves initiatiques qui, notamment, furent imposées par son Maître au célèbre Yogi tibétain Milarepa : il dut construire et détruire successivement sept maisons.

Titus Burckardt parle de ce « mythe alchimique du Roi-Soleil qui, tué et enterré, doit ressusciter et passer à travers *sept* « *régimes* » pour atteindre à sa pleine gloire... Le Soleil correspond à l'étincelle divine qui est dans l'homme et qui s'éteint apparemment lorsque l'âme pénètre dans la maison de Saturne, c'est-à-dire la mort. Mais, en vérité, cette mort est sa résurrection après laquelle elle gravit les *sept états* de la conscience jusqu'au " lion rutilant ", l'élixir de toute métamorphose » *(op. cit.).* A propos de ces sept états de conscience, Th. d'Athis note *(ibid.)* que cette théorie « a été soutenue également par des penseurs très modernes comme C. Daly King, psychologue fort orthodoxe » qui « pense avoir atteint lui-même jusqu'au quatrième état et avoir fréquenté ceux qui avaient atteint le cinquième ».

A rapprocher de cette prophétie d'Isaïe (30, 26) concernant la Parousie (ou fin des Temps apocalyptiques) : « Alors la lumière de la lune sera comme la lumière du soleil et la lumière du soleil deviendra *sept fois* plus forte — comme la lumière de *sept* jours. »

Selon les théosophes, les étapes de la conscience correspondent à sept états d'évolution planétaire : Saturne, Soleil, Lune, Terre, Jupiter, Vénus, Vulcain. Il faut entendre ces noms de planètes non comme des corps astronomiques proprement dits mais comme représentations de *taux vibratoires,* comme des dimensions spécifiques au sein du Cosmos.

Ouspenski, d'après l'enseignement de Gurdjieff, distingue sept types d'hommes — chacun représentant un degré dans l'évolution.

Le philosophe et alchimiste japonais Georges Ohsawa comptait ce qu'il appelait les *sept étapes du Jugement,* qui s'appliquent à tous les domaines de la vie. Voici, notamment, ce qu'il écrivait de l'amour :

« En Extrême-Orient, il y a une très belle histoire sur l'amour des étoiles. Elles ont un rendez-vous délicieux une fois par an, mais tous les ans et pour toujours... Amours célestes ! On fête leur rendez-vous avec plus de grâce qu'on fête Pâques ou Noël. Sur des bambous de cinq à dix mètres, on ajuste des feuilles de papier rectangulaires en *sept couleurs* sur lesquelles des jeunes filles et des femmes qui rêvent d'amour éternel ont écrit des poèmes d'amour. On plante ces bambous devant toute maison, riche ou pauvre, le *septième mois* de l'année et le vent du soir transporte les poèmes-vœux de toutes les Japonaises jusqu'aux lointaines étoiles...

« L'amour c'est la vie. Il y a sept étapes de l'amour : aveugle, sensoriel, sentimental, intellectuel, social, idéologique et universel. En Occident l'amour sensoriel est le seul amour qui soit ou presque. Les sept mots qui expriment les sept étapes de l'amour n'existent pas en Occident. Il est très rare qu'on rencontre une personne ayant l'amour des hautes étapes, c'est-à-dire qui accepte tout, une fois et pour toujours... » (revue *Yin-Yang,* n° 34).

Les sept niveaux de conscience sont symbolisés, dans la tradition atlante (transmise par l'Egypte et la Celtide) par les sept voiles qui cachent Isis — ou la coupe du Graal. (Dans les Tarots, le « 7 de Coupe » se traduit symboliquement : « Graal à demi dévoilé »). Les danseuses sacrées du Temple exécutaient la « danse des sept voiles » symbolisant ce mythe.

Dans la Kabbale, la septième Séphire est *Netzach,* la Victoire, liée à la Nature et à l'Amour : elle symbolise le triomphe de l'initié au terme de sa queste.

Dans certaines régions de l'Inde, on met trois fois sept anneaux au poignet des nouveau-nés, pour marquer la protection des forces de la nature et des sept « dévas ».

La création se perpétue et s'exprime — dans les *sept* directions de l'espace (haut, bas, gauche, droite, devant, derrière, vers le centre) — selon un rythme, dans le temps, à l'image du septenaire originel.

La création s'achève en sept jours (Genèse, chapitres 1 et 2). Naturellement, ce sont des jours symboliques : dans l'état actuel des connaissances humaines, l'âge minimum de l'univers dépasse dix milliards d'années. L'homme n'apparut probablement sur terre qu'assez récemment : il y a quelques millions d'années. Cependant, comme l'écrit Ray Bradbury :

> *Les sept jours sont écrits dans notre sang*
> *En lettres de feu...*

Mgr Jean de Saint-Denis interprète ainsi la Genèse : « Six est stable, achevé, équilibré, définitif — en 6 jours Dieu crée le monde — mais il tend ou doit tendre vers le 7. Oui, Dieu crée en six jours », cependant l'Ecriture sainte ajoute : « Ainsi furent achevés au septième jour Son œuvre qu'Il avait faite (Gen. 2, 1-2). »

« ... Et Il se reposa au septième jour de toute son œuvre qu'Il avait faite. Il bénit et sanctifia le septième jour parce qu'en ce jour Il se reposa de son œuvre qu'Il avait accomplie (Gen. 2, 1-3). »

C'est ainsi, qu'à l'image du Créateur, on se reposa le septième jour (le pacte humain-divin est encore ici marqué du chiffre 7) :

« On travaillera six jours ; mais le septième jour sera pour vous une chose sainte ; c'est le Sabbat, le jour du repos consacré au Seigneur (Ex. 35, 2). »

Le partage du temps en séries de sept jours est commun à tous les peuples, car c'est la durée d'un quartier lunaire. Les Mayas, qui semblent avoir utilisé une semaine de 13 jours (d'après J. Eric Thomson), honoraient particulièrement le 7ᵉ jour, au centre de la semaine. (Le mot semaine vient du latin *septimana*, qui signifie « espace de sept jours ».)

D'après Quintus Aucler, la fête des Saturnales durait sept jours.

A chaque jour de la semaine on a donné le nom d'une des sept planètes traditionnelles : l'anglais et l'allemand ont conservé le nom des dieux aryens, tandis que nous avons adopté (par force) les dieux romains correspondants, et le christianisme a remplacé le « soleil » par « Seigneur » :

Moon (-Tag ou -day)	Lune	Lundi
Tues	Mars	Mardi
Wednes	Mercure	Mercredi
Theuus	Jupiter	Jeudi

145

Frey	Vénus	Vendredi
Saters	Saturne	Samedi
Sun	Soleil —	Dimanche
	Seigneur :	« dies dominica »
	« Dominus »	

Samedi, le Sabbat juif, est le dernier jour de la semaine. La Résurrection du Christ ayant eu lieu le premier jour de la semaine, les chrétiens adoptèrent ce jour pour honorer Dieu. Ce changement marque le passage entre l'ordre ancien (Saturne : loi du Talion : « Œil pour œil, dent pour dent ») et l'ordre nouveau (Soleil : loi d'amour : « Aimez même vos ennemis »).

Après la Révolution française, les pionniers de l'an I républicain ont essayé de remplacer les semaines de sept jours par des périodes de dix jours, à la fois pour être plus « rationnels » et pour faire table rase de tout ce qui pouvait rappeler le passé. La force de l'habitude, liée aux rythmes naturels, fit revenir au galop l'ordre ancien (c'est-à-dire l'ordre cosmique) et l'on rétablit le calendrier grégorien. (L'Histoire dit que Napoléon ne supprima le calendrier républicain que pour complaire à la papauté.)

Il y a *sept* fois *sept* jours du dimanche précédant le Mardi gras jusqu'à Pâques, *sept* fois *sept* jours de Pâques à Pentecôte.

Sept est lié aux cycles de croissance chez l'être humain : sept ans, quatorze ans, vingt et un ans, vingt-huit ans... marquent les étapes décisives du développement. Il est admis que « dans l'espace de sept années tout ce qui compose le corps humain est entièrement renouvelé ». (R.S.) Ces cycles sont susceptibles de modifications selon les individus et les peuples, mais la moyenne de sept ans est à peu près constante.

A l'image des sept jours de la semaine, les juifs avaient adopté un rythme de sept ans, couronné par l'année sabbatique :

« Si tu achètes un esclave hébreu, il servira six années ; mais la septième il sortira libre sans rien payer » (Ex. 21, 2).

« Pendant six années, tu ensemenceras la terre, et tu en recueilleras le produit. Mais la septième, tu la laisseras reposer en jachère » (Ex. 23, 10-11).

Certaines universités et entreprises, surtout dans les pays anglo-saxons, consentent une année de congé « sabbatique » à leur personnel, afin de leur permettre un « recyclage » en toute liberté d'action.

Sept fois sept ans déterminaient la période jubilaire (49 ans) — (toujours honorée par l'Eglise catholique, qui fête une Année sainte tous les 50 ans — et par suite, tous les 25 ans).

D'une façon générale, le 7 est un nombre essentiel de la rythmologie cosmique. 7 marque la totalité d'un cycle de vie.

La théosophie divise l'espace-temps, du point de vue de l'évolution cosmique, en :

7 sous-races qui subdivisent une race-mère (ou race-racine) ;
7 races-mères font une période mondiale ;
7 périodes mondiales font une ronde ;
7 rondes forment une chaîne ;
7 chaînes forment un système d'évolution ;
7 systèmes d'évolution égalent un système solaire.

Abellio dit du nombre 7 qu'il « est le symbole de l'infini nombré dans son retour au principe, celui du serpent qui se mord la queue... » « Il est le chiffre de l'accomplissement dans l'espace-temps. »

Ceci est vrai, en fait, de *tout* nombre quel qu'il soit, considéré comme aboutissement (et départ) d'un cycle de numération (10, par exemple). Mais plus spécifiquement, le 7 symbolise la réintégration de la matière et de l'esprit, du temps et de l'éternité, dans une réalité unique et ré-conciliée.

C'est peut-être la perception de cette réalité mystérieuse du nombre sept qui inspira à Frédéric Nietzsche ce poème intitulé « Les Sept Sceaux (ou le chant de l'alpha et de l'ômega) » :

« O, comment ne serais-je pas ardent de l'éternité, ardent du nuptial anneau des anneaux, — l'anneau du devenir et du retour ?

« Jamais encore je n'ai trouvé la femme de qui je voudrais avoir des enfants, si ce n'est cette femme que j'aime : car je t'aime, ô éternité !

CAR JE T'AIME, Ô ÉTERNITÉ ! »

On ne peut citer, en quelques lignes, tous les exemples bibliques où l'on rencontre le nombre 7, tant ils sont fréquents :

— Pharaon vit en songe sept vaches grasses et sept vaches maigres, sept beaux épis et sept épis grêles — et Joseph interpréta ces songes : sept années d'abondance et sept années de disette (Gn. 41, 1-33).

— Josué fait contourner Jéricho par l'Arche d'Alliance, au son de sept trompes en corne de bélier, sept jours de suite et sept fois le septième jour (Jos. 6, 11-16).

— Le festin de noces de Salomon dura sept jours.

— Le Temple de Salomon fut construit en sept ans (de la 4e année à la 11e année de son règne). Il comporte trois parvis et sept enceintes (3 → 7).

— Le psalmiste chante : « Sept fois par jour je te loue pour tes justes jugements » (Ps. 118, 164).

— « Les paroles du Seigneur sont sincères, argent natif, qui sort de terre sept fois épuré » (Ps. 11, 7).

« Sept fois épuré » signifie « parfaitement épuré » : il y a là, en fait, une allusion alchimique : l'argent symbolise la lumière, principe féminin (dans le compost ce principe est appelé « mercure ») qui subit effectivement sept « lavages » au cours du Grand-Œuvre. Dans le même ordre d'idée :

— Naaman plongea sept fois dans le Jourdain.

On relève, dans l'Ancien Testament, plusieurs prénoms féminins hébraïques qui contiennent le nombre 7. George Hunt Williamson en donne les interprétations suivantes (*Les Gîtes secrets du Lion*, éd. « J'ai Lu », pp. 147, 70, 97 et 145) :

« Elisheba (Elisabeth) veut dire : " fidèle de Dieu, Dieu des Sept ". » « Bethsabée [la femme de Salomon et mère de David portait ce nom] veut dire : la septième fille, fille de Sept ; nombre parfait. Sheba est la forme ancienne d'un mot hébreu : " jurer par le chiffre sept " serment par lequel celui qui jurait, affirmait que sa promesse serait tenue. » « Comme nous l'avons vu, Sheba veut dire : sept, septième fille. La Reine de Saba était la " Reine du Pays des Sept ou des Sept filles ". " Sheba ", employé ici, représente l'Egypte, car l'Egypte fut la septième colonie de la Mère-Patrie. Les " filles de la Mère-Patrie " (Mû et Atlantide) étaient les sept régions colonisées des temps anciens. »

Le Mahabharatam (célèbre livre indien) parle des sept grandes îles de la mer d'Occident que la tradition assimile à l'Atlantide. L'archéologue anglais James Churchward dit par ailleurs que la terre de Mû possédait sept grandes villes.

Williamson poursuit : « Akhnaton avait sept filles très belles. Tout comme Atlas, dont les sept filles mythologiques furent poursuivies par Orion et métamorphosées en un groupe d'étoiles : les Pléiades ; il y eut une Pléiade perdue (ou une sœur), car seulement six de ces sept étoiles sont visibles à l'œil nu. On retrouve souvent dans les légendes l'histoire de sept filles : les sept filles du prêtre de Madiân, etc.

« Le chiffre de sept filles... symbolise les sept grandes colonies de l'Atlantide et de Mû, et les sept îles atlantes. »

En ce qui concerne les étoiles, la Grande Ourse et la Petite Ourse ont chacune sept étoiles, d'où le nom de *septentrion* donné à l'orientation vers le nord. C'est dans cette région du septentrion que se trouve Arcturus, l'étoile-mère du septième Rayon d'évolution, le « Rayon violet », selon l'ésotérisme.

Les théosophes, Alice Bailey et d'autres auteurs ont développé la théorie des Sept Rayons d'évolution. Le « Septième Rayon », dont le « Maître » fut connu au XVIIIe siècle sous le nom de Saint-Germain (mais ne porte plus aujourd'hui de nom humain), est le Rayon de l'harmonie par la magie blanche rituélique.

Le Nouveau Testament comporte également des indications numériques en relation avec le *sept* :

— Dans la seconde « multiplication des pains » relatée par Matthieu (15, 32-39) et Marc (8, 1-10), Jésus nourrit quatre mille personnes avec *sept* pains : on ramassa *sept* corbeilles de restes.

— Le démon chassé va en chercher sept autres plus forts que lui. La légende dorée dit, à ce propos, que Jésus chassa de Marie-Magdeleine sept démons.

— On demande à Jésus : « Faut-il pardonner sept fois ? » Il répond : « Septante-sept fois ! » (Mt. 18, 22). Ce large pardon de la Loi nouvelle compense et annule « le crime de Caïn, vengé sept fois ». Par contre, il donne plus de relief aux *sept* malédictions des scribes et des pharisiens (Mt. 23, 13-32). A propos de ces « docteurs de la Loi », ceux qui possèdent la lumière et la mettent « sous le boisseau » ; ceux qui conservent la vérité et la science pour eux-mêmes, en gardant le peuple dans l'esclavage de l'obscurantisme et de l'ignorance, on peut citer ce proverbe juif : « Il y a *sept* sortes de voleurs mais le pire parmi eux est l'homme qui trompe l'esprit des hommes. »

— Le Christ en croix prononça sept paroles.

Les premiers diacres de l'Eglise primitive étaient au nombre de *sept* : Etienne (qui fut le premier martyr chrétien), Philippe, Prochore, Nicanor, Timon, Parmenas et Nicolas (Ac. 6, 1).

— Enfin, dans l'Apocalypse — que Jean écrivit sur l'île de Patmos — on compte : sept églises, sept chandeliers, sept étoiles, sept trompettes, sept cornes, sept coupes, sept anges, sept sceaux, sept fléaux, un dragon à sept têtes et un agneau à sept yeux.

Les sept « Eglises »

Dans la lignée des Ecritures et de la tradition, la théologie catholique utilise souvent le nombre sept :

— La Mère du Christ est parfois appelée : « Notre-Dame des Sept Douleurs. »

— Il y a sept dons du Saint-Esprit (troisième Personne de la Trinité : autre exemple de la relation numérale : 3 → 7) : Sagesse, Intelligence, Conseil, Force, Science, Piété, Crainte de Dieu.

— Il y a sept péchés capitaux, et sept sacrements qui en délivrent : Baptême, Confirmation, Eucharistie, Pénitence, Onction des malades, Ordre, Mariage.

— Il y a sept vertus (3 + 4) : trois « théologales » : foi, espérance, amour ; quatre « cardinales » : tempérance, force, justice, prudence.

— La prière du *Pater*, donnée par Jésus à ses disciples, comporte *sept* demandes. Rudolf Steiner y voit une relation avec les sept « corps subtils » de l'homme, et le processus de l'évolution cosmique *(op. cit.)* :

« Ce procédé d'absorption de la Trinité supérieure par les quatre parties. inférieures s'est poursuivi jusqu'à notre époque, se développant toujours plus, et devant se développer de plus en plus dans l'avenir. Ce qui a été absorbé par les corps inférieurs a été appelé en science occulte la Trinité supérieure, et pour donner une image de cette entité humaine complète, née au milieu de l'époque lémurienne [allusion aux doctrines théosophiques sur les âges du monde], on choisissait jadis, surtout dans l'école pythagoricienne, le triangle et le carré ; il en résulte pour la composition totale de l'homme le schéma [ci-dessous.] »

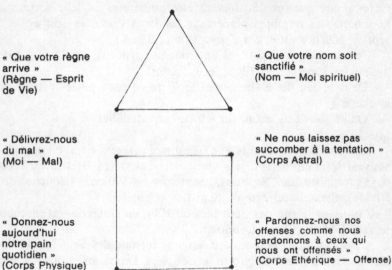

« Notre Père qui êtes aux cieux
Que votre Volonté soit faite »
(Volonté — Homme esprit)

« Que votre règne
arrive »
(Règne — Esprit
de Vie)

« Que votre nom soit
sanctifié »
(Nom — Moi spirituel)

« Délivrez-nous
du mal »
(Moi — Mal)

« Ne nous laissez pas
succomber à la tentation »
(Corps Astral)

« Donnez-nous
aujourd'hui
notre pain
quotidien »
(Corps Physique)

« Pardonnez-nous nos
offenses comme nous
pardonnons à ceux qui
nous ont offensés »
(Corps Ethérique — Offense)

Depuis l'Antiquité jusqu'à nos jours, le nombre sept imprègne de nombreux récits se rapportant au légendaire ou au mystère (un ouvrage entier pourrait y être consacré) :

— Un des douze travaux d'Hercule consista à couper d'un seul coup les sept têtes de l'Hydre de Lerne.

— Il y avait sept sages en Grèce.

— On comptait sept Merveilles du monde.

...

— Sinbad raconte à Hinbad ses sept voyages.

— Barbe-bleue eut sept femmes.

— Les sept nains sauvèrent Blanche-Neige.

— Dans « La Belle et la Bête », la Bête vient voir la Belle à sept heures, et s'absente sept jours...

Les jeux (qui ont souvent une origine symbolique et divinatoire) nous fournissent d'autres exemples :

— Le *dé* symbolise le 7 : 1 + 6 — le dé lui-même (1) ayant (6) faces (ou six modes d'expression pour une réalité unique). La composition des dés grecs ou romains « était identique à celle des points modernes : l'as au centre, le deux et le trois sur une diagonale, le quatre et le six sur des parallèles et le cinq en quinconce [la même disposition se trouve sur les " dominos "]. Un texte ancien d'Eustache ajoute que les dés doivent être numérotés de telle sorte que la somme des nombres placés sur les faces opposées soit égale à sept ». (*Dictionnaire des Jeux,* Tchou, 1964.)

[Certains dés orientaux, et notamment égyptiens, ont la forme de pyramides superposées (double tétraèdre).]

— Dans le jeu du Nain jaune, le 7 de carreau porte le nom de « diable ».

— On se souvient, enfin, du jeu des sept familles...

...

Les noms de « lieux-dits », plus ou moins légendaires, comportent souvent le nombre *sept,* tels que : Sept-Saints (en Bretagne), l'Abbaye trappiste de Septfons, Septèmes-les-Vallons (Bouches-du-Rhône), Septmoncel (Jura), Sept-Iles (Canada)...

C'est dans le site des Sept lacs de Rila, en Bulgarie, qu'enseigna le grand Maître Peter Deunov.

A Ephèse (dont le temple d'Artémis fut une des Sept Merveilles du monde) il y a une grotte « des Sept Dormants », liée à une légende locale : il s'agit probablement des « sept compagnons de la caverne » — *Ashab al-Kahf* — dont parle le Coran (17), qui restèrent 300 ans endormis, gardés par un chien.

La « vallée des Sept Morts », en Inde, est un des buts d'expéditions archéologiques les plus dangereux. Au début du siècle, un certain Dickford et ses compagnons y perdirent la vie. En 1906, une expédition britannique y laissa deux victimes. En 1911 : cinq disparitions. En 1919 un groupe de chasseurs y découvre dix-sept squelettes... et y laisse trois hommes. Il s'agit très probablement d'une entrée secrète de l'Aggartha, bien gardée...

Les « Sept cités de Cibola », en Amérique du Sud, sont un autre « centre d'intérêt » de l'archéologie mystérieuse.

Tout le monde connaît les « sept collines de la Ville éternelle » (Rome). Peu de gens savent que Paris — « la ville des lumières » — possède également ses sept « monts » :
1. Montmartre (Sacré-Cœur) ;
2. Buttes-Chaumont ;

3. Colline de Chaillot ;
4. Mont Louis (Père-Lachaise) ;
5. Mont Parnasse ;
6. Mont Orgueil (quartier des Halles — il n'en reste que le nom d'une rue) ;
7. Mont « Lucotitius » — appelé de nos jours : Montagne Sainte-Geneviève.

De nombreuses prophéties, depuis un millier d'années, annoncent conjointement la destruction de Rome et de Paris — qui tiennent encore bon (grâce à leurs sept monticules ?).

Le nombre sept intervient encore dans des domaines très divers :
— On appelle *septième* art le cinématographe et ses développements : synthèse des autres arts... (On propose encore un *huitième* art : la bande dessinée — mais pour Raymond Devos, c'est le music-hall ; pour Jacques Siclier, c'est la T.V....)

En politique :
— Le président de la République française est élu pour sept ans (Georges Pompidou demandait en 1972 que le mandat présidentiel soit réduit à cinq ans. Toutes les « ruptures de rythmes » sont significatives. Accidentelles ou volontaires, on peut s'interroger sur leur signification numérologique et symbolique, *au-delà* de la « simple » politique. Les rythmes de 7 et 5 ans ne se rencontrent que tous les 35 ans) ;
— Le Conseil fédéral, en Suisse, réunit sept membres ;
— En Chine, sept œuvres (opéras, films, saynettes) ont été sélectionnées pour représenter la culture révolutionnaire et prolétarienne.
— Certains pensent que nos cinq premières républiques seront suivies d'une sixième et d'une septième : la « République suprême », qui coïnciderait avec la fin des temps...

Un proverbe populaire dit qu'il faut tourner *sept fois* sa langue dans la bouche avant de parler. A ce propos, Gérard de Nerval s'interrogeait : « Que devrait-on faire avant d'écrire ? »

La littérature « fourmille » de titres comportant le nombre sept, dans des genres divers, du mystique au roman, en passant par la science-fiction et la philosophie :

Les sept jardins mystiques de Sédir ;
Les sept piliers de la Sagesse de T. E. Lawrence (« d'Arabie ») ;
Les sept dernières plaies de Georges Duhamel ;

Les sept femmes de Guy des Cars ;
Sept portraits de femme de Daniel-Rops ;
Les sept visages de l'amour d'André Maurois ;
Les sept cadrans d'Agatha Christie ;
Les sept jours de la création de F. L. Bloschke ;
Les sept jours de Vladimir Maximov ;
Les sept fils de l'Etoile de Françoise d'Eaubonne ;
(et nous en passons...)

Parmi les titres de films, on se souvient des *Sept samouraï* et de sa copie hollywoodienne : *Les Sept mercenaires*. Le matricule 007, par ailleurs, n'est-il pas là pour appuyer l'invincibilité d'un célèbre agent secret ?

Quant à la bande dessinée, destinée aux jeunes de 7 à 77 ans, elle peut être représentée dans cette énumération par : *Les Sept boules de cristal*.

...

Papillon raconte comment il profita de la *septième vague*, pour s'échapper de l'île du Diable.

...

Sept... la liberté, la lumière, le succès, et la joie de vivre !

Le polygone régulier à sept côtés (heptagone) est réputé impossible à construire avec la règle et le compas (travaux de Gauss). Néanmoins, une construction approchée est possible :

Vous tracez *trois* cercles concentriques (A , B , C) dont le second (B) ait un diamètre *triple* du premier (A) — il suffit de tripler le rayon — et le troisième (C) un diamètre *triple* du second (B).

De n'importe quel point du cercle C, vous tracez une tangente au cercle A qui croisera le cercle B en deux points b et b'. De ce second point vous tracez une nouvelle tangente à A qui croisera C en un point c. Vous recommencez la même opération à partir de c, et ainsi de suite jusqu'à ce que vous ayez obtenu une double étoile. Il suffit de relier les pointes de ces étoiles pour obtenir deux heptagone concentriques presque parfaits (approximation : 5×10^{-3}).

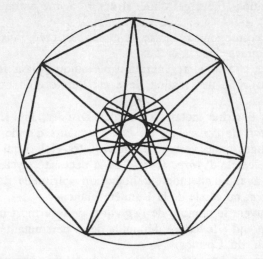

Nous pensons que cette construction (communiquée par Denis Evrard), suffisamment précise pour l'architecture, devait être connue des compagnons bâtisseurs.

On voit, dans cette construction, une nouvelle relation : $3 \rightarrow 7$.

Symboliquement, l'équerre est marquée par le nombre 4, le compas est marqué par le nombre 3. 7 (4 + 3) est obtenu, ici, à l'aide de ces deux instruments.

Huit

L'enchaînement des rythmes constitue la création. Le 8 est un triple produit du rythme primitif ($2 \times 2 \times 2 = 2^3 = 8$). Il est la pleine et totale incarnation de l'esprit dans une matière qui devient elle-même *créatrice* et *autonome,* qui organise ses propres lois, à l'image des lois spirituelles.

C'est l'Univers en mouvement et en transformation, mais équilibré et stabilisé dans, et par, les lois cosmiques. C'est le nombre des articulations (passages d'une structure à une autre, d'un rythme à un autre).

Dans la cosmogonie chinoise, le monde est créé, puis régi, par les *huit* trigrammes fondamentaux.

C'est une clef de la régénération périodique (dans le temps) : si le 7 est un cycle de création, le 8 est l'unité d'un nouveau cycle analogue.

Dans la doctrine métaphysique des Druides, l'initié doit passer par *huit états de conscience* ou *huit* longueurs d'onde (infra-rouge, rouge, orange, jaune, vert, bleu, violet, ultra-violet) qui sont enchaînés dans le cercle d'*Abred* (cercle de la nécessité, cycle des réincarnations...) avant d'atteindre la libération spirituelle dans le cercle de *Gwenwed*, ou cercle de la Lumière blanche.

C'est souvent le nombre de l'*épreuve*, de la « mort initiatique » : qui « comprend » le *huit* se dépouille de sa personnalité pour revêtir l'universalité du Cosmos.

Beaucoup de baptistères (lieux du baptême, immersion symbolisant la mort aux ténèbres et la renaissance dans la lumière) ont une forme octogonale (symétrie d'ordre 8) : d'après saint Ambroise le 8 est le nombre de la résurrection (régénération dans l'*intemporel*).

Dans la Genèse, il y a *huit* paroles créatrices (logoï) du Logos (chapitre 1, versets 3, 6, 9, 11, 14, 20, 24, 26) :

« Dieu dit : que la Lumière soit... (1er jour)

« Dieu dit : qu'il y ait un firmament... (2e jour)

« Dieu dit : que les eaux qui sont sous le ciel s'amassent...

« Dieu dit : que la terre verdisse... (3e jour)

« Dieu dit : qu'il y ait des luminaires au firmament... (4e jour)

« Dieu dit : que les eaux grouillent... (5e jour)

« Dieu dit : que la terre produise des êtres vivants selon leur espèce...

« Dieu dit : faisons l'homme à notre image... (6e jour) »

Mgr Jean de Saint-Denis note une relation entre le double ternaire ($2 \times 3 = 6$) et la puissance triple du binaire ($2^3 = 8$) :

« En six jours huit paroles du Verbe... Le huit se rapporte à l'homme.

« Les six jours se trouvent partagés en deux groupes : trois et trois jours, quatre et quatre paroles (une, une, deux ; une, une, deux).

« Les six jours sont composés de deux triades, deux cercles en mouvement formant une spirale de deux gravitations circulaires... Les trois premiers jours sont la préformation du monde ; les trois derniers, la formation de notre univers comprenant ses systèmes solaires » *(op. cit.)*.

Le 8 résume la totalité et la cohérence de la création en mouvement, « mise sur rails », dirions-nous.

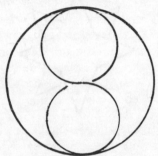

« Deux cercles en mouvement... »

Le huit couché : ∞ désigne l'infini et était déjà utilisé dans ce sens dans l'antiquité. C'est une « bande de Moebius » stylisée... On retrouve ce graphisme, répété selon une succession périodique, dans la représentation de la « chaîne d'union » maçonnique :

Le nombre huit en japonais *(hachi)* désigne parfois une *multitude organisée*.

Dans toutes les parties du monde, on trouve le huit dans divers motifs géométriques et architecturaux (notamment dans l'architecture templière). De nombreuses « croix », dans les traditions occidentales, ont une structure basée sur le huit : croix druidique, croix de Malte, croix templières, etc.

L'Etoile de Compostelle — ou Etoile d'Ishtar — a huit branches : ⚝ . Elle symbolise l'*androgyne* (2) *incarné* (→ 2^2) *et
rayonnant* (→ 2^3) : l'homme parfait dans sa maîtrise des lois cosmiques.

C'est aussi la Rose des vents, qui désigne l'ensemble de l'Univers
matériel : le champ d'exploration de cet homme parfait androgyne.

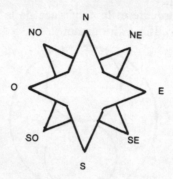

La 8ᵉ Séphire de la Kabbale est : *Hod*, la Splendeur, la Gloire
(ou l'Honneur).

> *Et maintenant, nous les enfants des sept éternels jours*
> *Héritiers de ce qui est le Huitième jour de Dieu,*
> *Ce long Huitième jour de l'Homme,*
> *Nous affrontons les rigueurs du temps,*
> *Les tempêtes de neige,*
> *Nous entendons chanter les oiseaux dans le matin*
> *Nous envions leurs ailes*
> *Et interprétant les signes des étoiles,*
> *Envions leurs feux.* (Ray Bradbury)

Neuf

Neuf est le nombre de la manifestation divine dans les trois plans :
monde de l'esprit, monde de l'âme, monde de la matière. Triple
manifestation de la Trinité : 3×3.

Trois au carré (3²) — relation symbolique du 3 au 4 — est la « multiplication de l'esprit par lui-même » (3 × 3) et donne l'intégralité de la création (4, le monde matériel + 5, l'homme, spirituel, en évolution, qui l'habite).

La numération décimale (et toutes les propriétés arithmologiques qui s'y rattachent) est fondé sur le 9. Neuf est le zéro d'un cycle supérieur de numération. Il est donc le commencement (*neuf* signifie bien *nouveau*) et la fin : l'alpha et l'oméga (1 et 800 : 1 + 800 = 801 — 8 + 0 + 1 = 9) ; on attribue souvent ce nombre au Christ (« Je suis l'Alpha et l'Oméga »).

La forme spiraloïde du 9 l'apparente au cercle (ou spirale fermée) qu'est le zéro : c'est *un des aspects* de l'Ouroboros — le serpent qui se mord la queue — représentation symbolique de tout cycle.

Le 9 sous-tend, achève et perfectionne le 8 par l'unité (8 + 1). Les huit trigrammes chinois sont issus d'un centre (l'unité) et sont répartis dans l'espace selon la disposition du carré magique 3² : ce sont les *neuf espaces* ou ciels *chinois*.

La cosmogonie et la théogonie druidiques sont entièrement résumées dans les triades des bardes antiques — au nombre de 81 (9 × 9) triades. Les trois cercles fondamentaux dont il est question dans cette doctrine *(Gwenwed, Abred, Keugant)* ont pour valeur numérale respective : 9, 27 (9 × 3), 81 (9 × 9).

Le livre du « Tao-te-King » compte 81 chapitres.

On doit à (Pseudo-) Denys l'Aréopagite la description des *neuf* chœurs angéliques — que la Kabbale fait correspondre aux Sephiroth 1 à 9 — émanations successives de Dieu, l'Incréé (Aïn Soph) :

Séraphins	Kether	Couronne
Chérubins	Hochmah	Sagesse
Trônes	Binah	Intelligence
Dominations	Hesed	Clémence
Vertus	Geburah	Rigueur
Puissances	Tiphereth	Beauté
Principautés	Netzah	Victoire
Archanges	Hod	Splendeur
Anges	Yesod	Fondement

La 9ᵉ Séphire est donc *Yesod*, le Fondement, la Base.
Diverses traditions parlent de neuf ciels (successifs ou concentriques).

(D'après l'ésotérisme chrétien, une dixième hiérarchie est représentée par l'homme (et les animaux *humanisés*) — à laquelle correspond la dixième Séphire : *Malcouth,* le Royaume, la Terre — une onzième est celle du monde végétal, une douzième (fermant la boucle cosmique) est celle du monde minéral. Ces trois derniers règnes doivent entrer dans le chœur des anges en fin d'évolution, lorsqu'ils deviennent parfaits *du point de vue spirituel*).

Tous les nombres — à un titre ou à un autre — ont un rapport avec la création et la génération. En ce qui concerne le 9, on rappelle qu'il est lié à la gestation (9 mois, chez les femmes, soit 10 lunaisons).

La Kabbale a relié 9 et la Lune, régente de l'*évolution matérielle*.

Une naissance prématurée (au 7ᵉ ou 8ᵉ mois, par exemple) ou retardée, est numérologiquement significative (comme toute rupture accidentelle d'un rythme).

Quintus Aucler — dans la description des fêtes païennes qu'il fallait, selon lui, restaurer — indique qu'au cours des Lémurales « qui durent trois nuits », « on invoque les ombres heureuses et l'on jette aux autres des fèves — dont la fleur exprime les portes de l'enfer — en répétant neuf fois : " par ces fèves je rachète mon âme ". Les âmes aiment le nombre neuf, qui est celui de la génération, parce qu'elles espèrent toujours rentrer dans le monde ». Gérard de Nerval, qui cite ce texte, ajoute en note : « le nombre neuf est particulièrement générateur et mystique ; multipliez-le par lui-même, vous trouverez toujours 9... » *(Les Illuminés* ou *les précurseurs du socialisme.)*

Dans l'agriculture bio-dynamique, le cycle complet de la préparation du *compost* dure 9 mois.

L'écrivain Graham Greene raconte (dans l'*Express* du 19 octobre 1973) que dans sa jeunesse il lui fallait exactement neuf mois pour écrire un livre, soit le temps de la gestation. (Il lui a fallu, par ailleurs, *recommencer sept fois* son livre « Le consul honoraire »... avant d'adopter une version définitive : 7, chiffre de l'achèvement...)

Les cycles de neuf jours ont toujours une signification particulière : d'où les *neuvaines*. Après la mort d'un pape, on célèbre des messes pour le repos de son âme pendant neuf jours, avec neuf absolutions (temps de gestation avant la naissance spirituelle...).
Neuf est le nombre de l'*inspiration,* et par suite, le nombre des réalisations harmonieuses (notamment dans les arts).
Ainsi les Muses, filles de Zeus et de Mnémosyne, sont au nombre de *neuf* : Clio, Calliope, Melpomène, Thalie, Euterpe, Erato, Terpsichore, Polymnie, Uranie, président respectivement à l'Histoire, à l'Eloquence et à la Poésie héroïque, à la Tragédie, à la Comédie, à la Musique, à la Poésie amoureuse, à la Danse, à la Poésie lyrique, à l'Astronomie.
Dans l'Evangile (Mt. 5) il y a *neuf* béatitudes :
« Heureux les humbles d'esprit...
« Heureux les doux...
« Heureux les affligés...
« Heureux les affamés et assoiffés de justice...
« Heureux les miséricordieux...
« Heureux les cœurs purs...
« Heureux les artisans de Paix...
« Heureux les persécutés pour la Justice...
« Heureux êtes-vous si l'on vous insulte, si l'on vous persécute et si l'on vous calomnie à cause de moi. Soyez dans la joie et l'allégresse, car votre récompense sera grande dans les cieux : c'est bien ainsi qu'on a persécuté les prophètes... »
Le *neuf* symbolise la plénitude des dons, la récompense des épreuves (passage du 8 au 9 : de la nécessité à la liberté). C'est un nombre de puissance spirituelle.

Et le Neuvième jour de l'Histoire de Dieu
Et de la Chair même de Dieu dont le nom est Homme
Se passera sur des ailes de feu
Attirées par le soleil et l'éclat des lointaines étoiles
Et l'aube du Neuvième jour
Nous verra l'accomplissement de hardis desseins
Sur une rive plus lointaine encore... Ray Bradbury
(Extraits de *Christus Appollo,* dans *Je chante le corps électrique,* Denoël, coll. Présence du Futur nᵒˢ 126-127.)

Dix

Toute l'arithmologie peut se résumer dans les dix premiers nombres. Le 10 fut spontanément et naturellement utilisé par Pythagore et par la Kabbale (à la suite de traditions beaucoup plus anciennes) pour résumer les archétypes qui animent la totalité de l'Univers créé. Il y a « dix nombres primordiaux selon le nombre des dix doigts, dont cinq sont en face de cinq. Et la personne de l'Unique est juste au milieu... » dit le *Sepher Yetzirah*. Et Nicomaque de Gérase affirme : « C'est le nombre 10 qui, d'après la doctrine pythagoricienne, est le plus parfait des nombres possibles. C'est en rapport avec cette idée que l'on nota dix types de relations et de catégories et que paraissent mêmes établies les divisions et les formes des extrémités de nos mains et de nos pieds, et d'innombrables autres choses... La décade est le Tout car elle servit de mesure pour le Tout, comme une équerre et un cordeau dans les mains de l'Ordonnateur. » Elle peut être considérée comme :

4 + 6 : matière dans l'harmonie ;
3 + 7 : Créateur et création ;
5↓ + 5↑ : conscience en involution et conscience en évolution (double courant).

Selon James Churchward *(The sacred Symbols of Mu)*, l'arithmosophie des Hiérophantes de Mû se résumait de la façon suivante :

1 l'Absolu	6 l'organisation (Uac)
2 la Dualité	7 la création (Uaax)
3 la Puissance divine	8 la formation de l'homme (Uaxax)
4 la Cause des faits	9 la vibration
5 le futur	10 le retour à l'Unité

Les disciples de Pythagore donnaient une importance primordiale au *trigon* formé des quatre premiers nombres : la *tetraktys* — dont Lysis écrivait qu'elle est « Harmonie pure »... :

•
• •
• • •
• • • •

« Je le jure par celui qui a révélé à notre âme la Tetraktys, qui a en elle la source et la racine de l'éternelle nature... » proclamaient-ils.

Les quatre premiers nombres sont, en effet, l'ultime résumé de toute la cosmogonie numérale.

Le 10 symbolise le *retour à l'unité* après un cycle entier de création. Il est l'unité — donc l'harmonie — de la création.

Le psalmiste, en priant son Dieu, dit :

« Pour toi... je chante un *chant nouveau*
Pour toi, je joue sur *la lyre à dix cordes*... » (Ps. 143, 9)

La lyre à dix cordes — outre l'instrument réel — représente kabbalistiquement l'arbre des dix « notes de musique » cosmiques : les Séphiroth (Nombres-Forces-Vibrations). « Un chant nouveau » peut signifier un cycle nouveau, lié au nombre 10 — le cycle étant comme une mélodie de la « musique des Sphères »...

La dixième Séphire de la Kabbale est *Malcouth*, le Royaume, où la puissance de toutes les autres Séphiroth se déverse, se concrétise, se matérialise, se cristallise : c'est l'aboutissement, l'accomplissement *formel* de toutes les énergies créatrices.

Nombre de création et d'unité, 10 est parallèlement nombre de la Loi divine : dix commandements (décalogue), et des conséquences aux manquements à cette loi, comme les dix plaies d'Egypte (en l'occurrence, celles-ci précédèrent historiquement ceux-là)...

Selon la tradition judaïque, le Livre de vie est ouvert pendant *dix* jours, entre le *Roshashana* et le *Yom Kippour*.

Il faut, dans la religion juive, *dix* personnes pour ouvrir une Synagogue — Assemblée de prière.

Il y a, selon le Sepher Yetzirah, *dix* infinis : profondeurs « du commencement... de la fin... du bien... du mal... du haut... du bas... de l'orient... de l'occident... du nord... du sud... et un Maître unique Dieu, Roi fidèle ».

Dans les textes tibétains, il est souvent fait allusion à « dix directions » (quatre points cardinaux, quatre points intermédiaires, le nadir, le zénith).

L'hindouisme décrit *dix* énergies vitales : Prana, Apana, Vyana, Udana, Samana, Naga, Kurma, Krikara, Deva-datta, Dhanam-Joya.

Dans la tradition chinoise, les hommes possèdent *dix* âmes : 3 âmes supérieures, les *houen*, 7 âmes inférieures, les *p'o* (structure cosmique développée selon le ternaire — prisme — et le septenaire — spectre solaire).

L'usage ingénieux des *dix doigts* de la main, est, avec la parole, la distinction de l'être humain.

L'homme est la dixième hiérarchie du « chœur céleste ».

10 est un « nombre d'homme ». Non seulement symboliquement, mais, selon la définition que donne D. Neroman des « nombres d'homme » : $n^2 + 1$.

$10 = 3^2 + 1$, « nombre d'homme » de 3...

Selon cet auteur, le 10 se rapporte à la *révélation* (c'est d'ailleurs la signification du mot Kabbale) et il est le « nombre d'Hermès » : effectivement le 10 réalise « les miracles de l'unité » dont parle la Table d'émeraude.

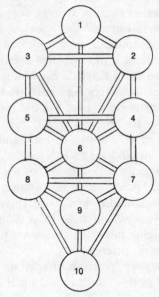

L'Arbre de Vie

De quelques autres rameaux

11

« O Dieux qui êtes au nombre de onze dans le ciel ; qui êtes au nombre de onze sur la terre, et qui, au nombre de onze habitez avec gloire au milieu des airs, puisse notre sacrifice vous être agréable », peut-on lire dans le *Rig Veda*.

10 était la globalité d'un cycle, le retour à l'unité d'une création symbolisée par les neuf premiers nombres.

Le 11 est une nouvelle « polarisation » de cette unité globale, un nouveau départ, un nouveau dynamisme pour un nouveau cycle. Le 11 correspond numérologiquement au 2, mais avec tout l'acquis, toute l' « expérience » des nombres précédents.

C'est un nombre de pouvoir, un nombre « royal ».

Le 11 — ainsi que ses multiples : 22, 33, etc. — est un « soleil en mouvement », avec toute l'autorité que confèrent le pouvoir et le savoir solaires : le triomphe des épreuves du passé et la connaissance qui en procède.

Une onzième Séphire, *Daath*, qui n'est pas représentée sur l' « Arbre de Vie » (bien qu'elle y ait sa place, de façon précise) représente la *connaissance*. Elle est un des aspects de l'unité *sousjacente* aux 10 Séphiroth.

La qualité « impaire » du 11 rend son autorité vulnérable : elle peut être sujette aux excès et aux débordements, privilèges (douteux) des souverains. Le « Roi divin » sera marqué par le 12 : « trinité paire ».

Saint Augustin disait que « le nombre 11 est l'armoirie du

péché ». Peut-être pensait-il à l' « arbre de la connaissance du Bien et du Mal », dont Adam et Eve goûtèrent (prématurément) le fruit : Daath, la onzième Séphire, la Connaissance (« ... et leurs yeux s'ouvrirent », dit la Genèse !). Peut-être pensait-il, encore, au Onze, qui fut (provisoirement) le nombre des disciples de Jésus après la trahison de Judas.

11 est aussi l'addition du 5 et du 6 — « union du microcosme et du macrocosme » — que la symbolique maçonnique représente par l' « hexagramme pentalphique » :

Jules Boucher indique *(op. cit.)* que la largeur du cordon de Maître est, précisément, de *onze* centimètres.

On connaît les cycles d'activité magnétique du Soleil, sur une durée de *onze* ans, qui sont à l'origine des taches solaires et dont l'influence socio-psycho-somatique a été maintes fois constatée. (Un nouveau cycle a commencé en **1984**.)

Le nombre onze a été choisi par d'Arezzo pour constituer la portée musicale.

Enfin, les « ouvriers de la onzième heure » reçoivent le même salaire que ceux de la première...

12

« Il y avait un arbre de vie, produisant douze fois des fruits, rendant son fruit chaque mois. » (Apocalypse 22, 2.)

Le douze est un nombre glorieux : c'est la manifestation de la Trinité aux quatre coins de l'horizon... (3 × 4 = 12).

Ce nombre est en rapport avec les cycles (dont la source est 3) tels qu'ils se manifestent dans le monde créé (projection du 3 dans le 4) : exaltation de la matière par l'esprit.

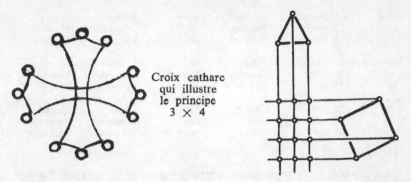

Croix cathare
qui illustre
le principe
3 × 4

Le cercle se divise naturellement par le 6 (puisque 6 triangles équilatéraux, formant un hexagone, sont inscriptibles dans le cercle). A l'image du cercle, les grands cycles cosmiques sont « mesurés » par le 6. — et ses multiples (12, 60, 360, etc.) — (L'Hexagone est la forme de l'Abbaye de Thélème, la « maison des Sages » de Rabelais).

Six couples de dieux régissent les douze signes du zodiaque. (Le « ciel » se divise également en douze « maisons » astrologiques).

L'année est divisée en quatre saisons de trois mois correspondant à ces douze signes (il y a un décalage de dix jours — un décan — entre les mois civils et les mois zodiacaux). Les douze lettres « simples » de l'alphabet hébraïque sont les initiales des noms zodiacaux en hébreu.

Il est curieux de constater que les mois républicains correspondaient exactement au zodiaque — et les semaines républicaines de dix jours aux décans astrologiques. Conformément à une tradition antique, l'année avait exactement 360 jours auxquels on ajoutait 5 (ou 6) jours supplémentaires appelées *sans-culottides*... (voir, plus loin, le nombre 360).

Saisons	Dates (approximatives)	Signes zodiacaux	Eléments	Mois celtiques	Mois républicains
Automne	21 septembre	Balance	air	Kantlos	Vendémiaire
	21 octobre	Scorpion	eau	Samonios	Brumaire
	21 novembre	Sagittaire	feu	Dumanios	Frimaire
Hiver	21 décembre	Capricorne	terre	Rivros	Nivôse
	21 janvier	Verseau	air	Anagantios	Pluviôse
	21 février	Poisson	eau	Ogronios	Ventôse
Printemps	21 mars	Bélier	feu	Putios	Germinal
	21 avril	Taureau	terre	Giamonos	Floréal
	21 mai	Gémeaux	air	Simivisonos	Prairial
Eté	21 juin	Cancer	eau	Epos	Messidor
	21 juillet	Lion	feu	Elembivios	Thermidor
	21 août	Vierge	terre	Edrinios	Fructidor

Le premier mois républicain correspond au mois celtique *Kantlos,* le cercle. La relation entre le zodiaque et la structure cyclique du temps est également illustrée, dans le symbolisme astrologique, par un bélier à queue de poisson (en astrologie le Bélier introduit le Zodiaque, les Poissons l'achèvent...).

L'horloge est également divisée en douze. Dans l'Antiquité on divisait la journée en douze heures nocturnes et douze heures diurnes, irrégulières selon les saisons (horloges solaires). L'adoption d'un horaire régulier a donné naissance à la division du temps en 24 heures (et du globe terrestre en 24 fuseaux horaires). — (Il y a 24 livres dans la Bible hébraïque ; 24 « vieillards » dans l'Apocalypse — les « Maîtres du Karma » — 24 « Tirtankara » dans la tradition des Jaïns.)

Pourquoi les douze coups de minuit sont-ils considérés comme fatidiques ? On dit que c'est l'heure à laquelle tous les mages blancs se donnent rendez-vous télépathiquement.

L'octave — qui est un « cycle » de vibrations sonores — est divisée en six tons, soit *douze* demi-tons. L'exemple le plus lointain historiquement connu de la division de l'octave en douze, par un ministre du souverain chinois Lin-Len, date de 2697 avant J.-C.

L'Epopée de Gilgamesh comporte *douze* chants, correspondant au Zodiaque.

Le *Nuctemeron* d'Apollonius de Tyane compte douze « heures » symboliques qui correspondent aux douze signes du Zodiaque, et aux *douze travaux* d'Hercule. (A chaque « heure » correspondent *sept* génies.)

Ces travaux symbolisent douze étapes par lesquelles l'initié doit passer pour reconstituer, en lui-même, l'Unité que représente le Soleil au Centre.

Certains ésotéristes, en avance sur la science, ont depuis longtemps parlé de l'existence de *douze* planètes dans le système solaire (depuis la découverte de Pluton en 1930, on connaît dix planètes, et certains astronomes pensent avoir mathématiquement déterminé l'existence d'autres corps — encore invisibles — appartenant à notre système solaire).

Si l'existence de onze ou douze planètes est établie, la ceinture d'astéroïdes comprises entre Mars et Jupiter serait donc les vestiges d'une douzième ou treizième planète (disparue) — la cinquième depuis le Soleil — appelée par certains : Mallona, Lucifer ou Vulcain.

Immanuel Velikovsky pense que Vénus est une « pièce rapportée » dans notre système planétaire, une comète « capturée » par l'attraction solaire. Dans ce cas elle serait peut-être venue remplacer la planète disparue, maintenant le nombre de douze planètes. Le Soleil, *centre* du système, reste le *treizième* astre, immuable (comme le Christ avec ses 12 Apôtres).

La planète Jupiter — qui est un véritable « soleil » en miniature (comme l'attestent les sondes récentes, il dégage davantage d'énergie qu'il n'en reçoit) — possède *douze* satellites.

Jacob avait *douze* fils. (Depuis sa « lutte avec l'Ange » il porta le nom d'Israël .) Le Patriarche n'est-il pas le Soleil de sa « tribu » ? Ces douze fils donnèrent naissance aux *douze tribus d'Israël*.

Le Grand Prêtre des juifs, depuis Aaron, portait un pectoral sur lequel étaient serties *douze* pierres — qui selon la tradition sont les supports de douze pouvoirs cosmiques — ainsi disposées :

émeraude	topaze	sardoine
diamant	saphir	escarboucle
améthyste	hyacinthe	agathe
jaspe	cornaline	chrysolithe

J. Marquès-Rivière fait remarquer *(op. cit.)* « que la couronne employée pour le sacre du roi d'Angleterre comprend également douze pierres symboliques ». Un manuscrit du XVIIe siècle donne le symbolisme des pierres serties dans ce « diadème qui assure le triomphe » :

Topaze	symbole des vertus que doit exercer le Roi ;
Emeraude	de la justice du Roi ;
Sarde	de l'élévation du Roi ;
Chrysolithe	de la sagesse et de la prudence du Roi ;
Calcédoine	du courage du Roi ;
Hyacinthe	de la tempérance et de la sobriété du Roi ;
Jaspe	de l'abondance que doit avoir le peuple ;
Chrysopale	de la recherche des choses célestes chez le Roi ;
Béryl	du détachement et de la pureté du Roi ;
Saphir	de la continence du Roi ;
Améthyste	de la fonction royale que le Roi ne doit pas quitter ;
Onyx	de l'humilité, de la charité et de la sincérité du Roi.

Jésus — le Prêtre-Roi — choisissant ses disciples « appela à lui ceux qu'il voulut lui-même et ils vinrent à lui au nombre de *douze* ». (Marc, 3.) — Par la suite, il s'entoura de $12 \times 6 = 72$ disciples.

Le seul indice, dans les Ecritures mêmes, d'une relation entre les *douze* Apôtres et les *douze* signes du Zodiaque, est le fait que Thomas est surnommé le Didyme, c'est-à-dire, en araméen, le *jumeau* — ou *gémeau*. On peut supposer que chaque Apôtre avait un caractère et une fonction correspondant à chacun des signes zodiacaux, autour d'un Soleil : le Christ.

Le nombre 12 était important pour les Apôtres puisque, après la disparition de Judas, celui-ci fut remplacé par Matthias (Actes 1, 15-26).

La tradition rapporte que Joseph d'Arimathie, qui emmenait en Grande-Bretagne la coupe du Saint-Graal, avait avec lui douze compagnons.

Le 12 est un nombre du Soleil et de l' « homme cosmique ». Les 12 signes zodiacaux ont un rapport avec les organes du corps humain et ce n'est probablement pas par hasard si Schussler découvrit 12 sels biochimiques constituants de la *cellule* humaine.

Il y a douze divinités principales dans la mythologie grecque.

En sanscrit, le Soleil a *douze* noms, que l'on prononce, tels des *mantras* :

OM MITRAYA NAMAH
OM RAVAYEH NAMAH
OM SURYAYA NAMAH
OM BHANAVEH NAMAH
OM KHAGAYA NAMAH
OM PUSHNE NAMAH
OM HIRANYAGARBHAYA NAMAH
OM MARICHAYE NAMAH
OM ADITYAYA NAMAH
OM SAVITRE NAMAH
OM ARKAYA NAMAH
OM BHASKARAYA NAMAH

Le *chakra* — ou plexus — du cœur (« Anahata Lotus ») se déploie, dans les représentations symboliques, en *douze* « pétales ».

Dans la cosmologie japonaise, le Créateur est assis sur douze coussins sacrés.

Selon les Coréens, le monde est partagé en douze régions.

Le nombre douze se retrouve dans la constitution de nombreuses villes et édifices sacrés de l'Antiquité. L'archéologie rencontre donc souvent ce nombre.

Il y a douze capitales historiques de la Perse : Suse, Ecbatane, Babylone, Pasargade, Persépolis, Ctésiphon, Tabriz, Qazuin, Ispahan, Mechhed, Chiraz, Téhéran.

Peter Kolosimo note : « Le temple de Viracocha, près de Cuzco, contient *douze* couloirs qui mènent au sanctuaire » (*Terre énigmatique,* Albin Michel).

Il cite également un passage de notre ami Marcel F. Homet, qui remarquait que dans la cité de Tiahuanaco, ... « aux flancs des monuments cyclopéens, on voit des statues au nez aquilin et au turban classique d'où sortent les 12 tresses symboliques dont chacune représente une tribu [...] Le 12, nombre sacré, rappelle beaucoup de choses, mais il rappelle surtout les douze tribus d'Israël, le pays dans lequel, mille ans avant J.-C., on portait le turban. En Israël [qui ne portait évidemment pas ce nom à l'époque] on rêvait d'un « père de toutes choses » qu'on appelait Mut et qu'on représentait par l'œuf cosmogonique, mais des milliers et des milliers d'années avant l'existence des douze tribus d'Israël, à Tiahuanaco, un autre « père de toutes choses » était adoré et il était représenté par l'œuf du cosmos, le Créateur, qui s'appelait Mut... »

...

La Table d'émeraude — que l'on attribue à Hermès, et qui est le document fondamental de l'alchimie — contient *douze* propositions essentielles.

D'après G. H. Williamson : « Sur les tables originelles de saphir » que Moïse rapporta du Sinaï, « il y avait *douze Commandements,* au lieu de dix. Les deux Commandements perdus... resteront cachés jusqu'à ce que l'homme soit prêt à les recevoir, ce qui n'est pas le cas aujourd'hui encore ! » *(op. cit.)*

Selon la sainte règle monastique de saint Benoît, il y a *douze degrés* d'humilité..

Dans l'Ancien Testament, on compte douze prophètes « mineurs » qui constituent le « Dodekapropheton » : Osée, Joël, Amos, Abdias, Jonas, Michée, Nahum, Habacuc, Sophonie, Aggée, Zacharie, Malachie.

...

Après la multiplication des pains, on ramasse *douze* corbeilles de restes : plénitude et surplus...

...

Comme tous les nombres, dont l'origine sacrée transparaît à travers les traditions, le 12 se retrouve dans les affaires humaines et politiques :

— Le film de Sidney Lumet, *Douze hommes en colère* nous a familiarisés avec le fonctionnement d'un jury d'assises, aux Etats-Unis : douze personnes décident finalement du sort, c'est-à-dire de la vie ou de la mort d'une treizième : l'accusé. (Il en est de même en France. C'est le thème du film d'André Cayatte : *Verdict.*)

— Les fondateurs du Parti communiste chinois étaient au nombre de *douze.*

— Franklin D. Roosevelt fut président des Etats-Unis durant *douze* années consécutives.

...

Mais lorsque sonnent les douze coups de l'horloge, un nouveau cycle commence...

Un !
O homme prend garde !
Deux !
Que dit minuit profond
Trois !

« J'ai dormi, j'ai dormi, —
Quatre !
« D'un rêve profond je me suis éveillé : —
Cinq !
« Le monde est profond.
Six !
« Et plus profond que ne pensais le jour.
Sept !
« Profonde est sa douleur, —
Huit !
« La joie — plus profonde que l'affliction
Neuf !
« La douleur dit : Passe et finis !
Dix !
« Mais toute joie veut l'éternité,
Onze !
« — veut la profonde éternité !
Douze !

Ainsi parlait Zarathoustra, ainsi écrivait Frédéric Nietzsche...

13

« En treize jaillissements les sources se répandent » (Siphra di Tzéniuth).

Lorsqu'ont sonné les douze coups, la treizième heure commence — c'est-à-dire la première heure du nouveau tour de cadran (la « 25ᵉ » heure ?)

« Selon les formes traditionnelles qui règlent l'ésotérisme du nombre, écrit Hadès, douze représente le cycle complet ne pouvant être transmuté que par un apport extérieur, un changement de principe ayant déterminé originellement le cycle. Voilà pourquoi le 13, soit 12 +1, suggère traditionnellement la mort et une nouvelle période dans l'évolution cyclique... » (*L'Univers de l'astrologie,* Albin Michel.)

Ce n'est pas un hasard si Nietzsche fait dire à la Vie ces mots qu'elle adresse à Zarathoustra : « Quand tu entends cette cloche sonner les heures à minuit, tu songes à me quitter entre une heure et minuit... »

On a fait au nombre 13 — assez injustement — une très mauvaise réputation. Même Boileau dans ses *Satires* (VIII) écrivait : « Plus de douze attroupés craindre le nombre impair... » Se retrouver *treize* à table, par exemple, est parfois considéré comme maléfique. Probablement à cause du souvenir de la Sainte Cène qui n'avait, apparemment, pas porté bonheur à Jésus, le « treizième convive ». Mais c'est évidemment un réflexe à courte vue : car, s'il faut en croire les Ecritures, la mort de Jésus fut suivie d'une Résurrection !

Le nombre 13 suggère donc, dans ce contexte, la mort à la matière et la naissance à l'esprit : *le passage sur un plan supérieur d'existence.*

Dans son livre *Mondes en collision* **(publié en 1950),** Immanuel Velikovsky pense avoir trouvé « la réponse au problème, non résolu, de l'origine de la superstition qui attribue au nombre treize, et en particulier à la date du treize, une influence maléfique ». (L'essentiel de la thèse de cet ouvrage est que les événements relatés dans le livre biblique de l'Exode coïncident avec des cataclysmes cosmiques de grande envergure) :

« A minuit » toutes les maisons d'Egypte furent frappées... « Il n'y avait pas une maison où il n'y eût un mort. » Telle fut cette nuit du quatorzième jour du mois d'Aviv (*Exode* XII, 6 — XIII, 4), qui est la nuit du Passage...

« Le mois d'Aviv » est appelé « le premier mois » (*Exode* XII, 18). Tut était le nom du premier mois égyptien. Ce qui, pour les Israélites, devint une fête, fut pour les Egyptiens un jour de deuil et de jeûne. « Le treizième jour du mois Tut (est) un très mauvais jour. Tu ne feras rien ce jour-là. C'est le jour du combat qu'Horus livra à Set. » (Selon G. H. Williamson, le pharaon Ramsès II avait *treize* fils dont un seul aurait survécu aux événements précédant l'Exode.)

L'événement eut lieu dans la nuit ; les Hébreux comptant leurs jours à partir du lever du soleil et les Egyptiens à partir de son coucher, le 14e jour d'Aviv coïncide avec le 13e jour de Tut pendant quelques heures.

Ainsi, le nombre 13 que l'on trouve en relation avec les événements entourant la Pâque chrétienne, l'était *déjà* avec la Pâque juive.

La treizième lettre de l'alphabet hébraïque : *mem* a pour valeur numérique : 40. Or ce nombre est lié à la *purification* : le peuple juif erra 40 ans dans le désert (c'est l'Exode proprement dit...) Jésus jeûna 40 jours, le Carême dure 40 jours (et s'achève avec la Résurrection — fêtée à Pâques !) Ces nombres : 13 et 40 sont liés dans cette notion de « mort à soi-même » et de « renaissance spirituelle ».

C'est probablement pourquoi les Clarisses portaient une corde de 13 nœuds en guise de ceinture.

Il est exact que l'on relève le nombre 13 plus souvent qu'à son tour, dans les comptes rendus d'accidents et de catastrophes. (Il serait fastidieux — et de mauvais goût — de retranscrire ici une importante collection de coupures de presse à ce sujet.) Il est souvent présent au cœur d'événements fatidiques. Le cinéaste J. P. Melville, par exemple, disparut après avoir réalisé son treizième film.

Mais les exemples ne manquent pas non plus montrant l'aspect *positif* de ce nombre :

On fêtait Noël, jadis en Provence, avec treize desserts ; et en Roumanie, avec treize plats de poissons...

Ce sont les treize premiers Etats-Unis d'Amérique qui eurent la première initiative historique d'une « Déclaration des Droits de l'Homme ». Le premier drapeau des U.S.A. comportait treize étoiles et treize bandes rouges et blanches, ce qui ne leur a pas porté malheur...

Et c'est un alcool supposé d'excellente qualité que l'on marque de 13 étoiles.

Dans la préparation du Concile Vatican II, le fameux *Schéma XIII* fut considéré comme un des documents déterminants, marquant « le passage sur un autre plan » des débats et l'entrée de l'Eglise dans une ère nouvelle... (?)

Quant à l'expression « treize à la douzaine » — qu'il s'agisse ou non d'une offre publicitaire —, ne désigne-t-elle pas le *cadeau,* vestige d'une antique coutume marquant la nouveauté et la gratuité du 13... ? (Le « treizième mois » pour les salariés...)

Un des best-sellers universels — immédiatement après *la Bible* et *le Capital* — est l'ouvrage d'Euclide intitulé *Les Eléments,* qui contenait originellement *treize* livres.

La musique ne dédaigne pas ce nombre : il existe au Japon une harpe à treize cordes : le *koto*.

Les Aztèques croyaient à treize cieux, leur semaine comptait treize jours. Il y a treize dieux dans le Popol-Vuh. « La plupart des peuples de l'Amérique précolombienne, note Peter Kolosimo *(op. cit.)*, se servaient d'un calendrier fondé sur les révolutions accomplies dans la même période de temps par la Terre et par Vénus, rapport qui s'exprime par 8 : 13... »

On raconte l'histoire de ces nouveaux mariés qui, arrivant à l'hôtel pour y passer leur lune de miel, se voient proposer la chambre n° 13.

Naturellement, la jeune mariée refuse catégoriquement d'entrer dans cette pièce, et on lui propose alors la chambre n° 67.

En rentrant chez eux, après une lune de miel merveilleuse, les jeunes gens réalisent que, numérologiquement, $67 \rightarrow 6 + 7 = 13$ et, bien sûr, éclatent de rire...

13 resta pour eux, définitivement, un chiffre porte-bonheur...

---

19 et 28

Nous citons ces deux nombres ensemble pour signaler un curieux chassé-croisé symbolique.

Tout d'abord remarquons que :
$$19 \rightarrow 1 + 9 = 10 \rightarrow 1$$
et :
$$28 \rightarrow 2 + 8 = 10 \rightarrow 1$$

Ces nombres se rapportent à l'*unité*. Or l'unité *s'exprime par la polarité,* que la tradition représente par les symboles du Soleil et de la Lune.

19 est le Soleil dans les arcanes du Tarot. Mais 19 ans est un *cycle lunaire* — également appelé *nombre d'or* — qui marque approximativement le retour de la Lune aux mêmes positions (d'où l'on peut déduire, avec des tables appropriées, le jour exact des nouvelles lunes dans l'année). C'est donc également un cycle de périodicité des *éclipses solaires.*

A propos du temple solaire de Stonehenge (Grande-Bretagne), Dominique Arlet note que « la littérature grecque fourmille d'allusions aux « Hyperboréens », à leur temple circulaire où Apollon, dieu Soleil, vient leur rendre visite tous les dix-neuf ans... » (*Planète*, nº 38.)

19 est la somme des 12 Apôtres et des 7 diacres de la primitive Eglise. Selon Rudolf Steiner, c'est aussi la somme des « 12 frères du Christ » et des « 7 enfants de Lucifer » (soit 19 manifestations solaires).

28 est le nombre de jours du mois lunaire (moyen). Mais c'est aussi le nombre d'années d'un cycle solaire (après lequel les jours de la semaine se retrouvent aux mêmes dates).

Pythagore s'adresse à Polycarpe en ces termes :

« La moitié [de mes élèves] étudient l'admirable science des mathématiques. L'éternelle Nature est l'objet des travaux d'un quart. La septième partie s'exerce à la méditation et au silence. Il y a en plus trois femmes dont la plus distinguée est Théano. Voilà le nombre de mes élèves qui est aussi celui de mes Muses. » *Soit 28*... (qui est le *total* de ses *diviseurs* : $1 + 2 + 4 + 7 + 14$).

21

---

21 est le total des nombres inscrits sur le *dé* : $1 + 2 + 3 + 4 + 5 + 6$.

Les Tarots sont numérotés de 0 à 21.

Selon Allendy : « Le nombre 21 est l'inverse de 12... Douze est pair ; c'est une situation équilibrée résultant de l'organisation harmonieuse des cycles perpétuels ($12 = 3 \times 4$) ; 21 est impair ; c'est l'effort dynamique de l'individualité qui s'élabore dans la lutte des contraires et embrasse la voie toujours nouvelle des cycles évolutifs ($21 = 3 \times 7$) » (*Le symbolisme des nombres*, Chacornac, 1948).

On remarque que $21 + 12 = 33$ (voir ce nombre).

3×21 donne 63 : nombre de cases (en spirale) du jeu de l'Oie — jeu initiatique symbolisant la détermination du destin (les dés) et du karma (symbole oriental de l'Oie) sur la vie humaine (63 ans...).

22

---

22 est le nombre de polygones réguliers inscriptibles dans un cercle de 360° (voir ce nombre).

C'est le nombre de lettres de l'alphabet hébraïque : 3 lettres « mères » : aleph, mem, schin ; 7 lettres « doubles » : beth, ghimel, daleth, kaph, pé, resh, tau ; 12 lettres « simples » : hé, vav, zayin, heth, teth, yod, lamed, noun, samekh, hayin, tzadé, qoph.

C'est le nombre des « courants » reliant les Séphiroth entre eux. C'est le nombre des Arcanes majeurs du Tarot.

Il y a 22 chapitres dans l'Apocalypse.

Le psaume 111 comporte 22 vers (chacun désigné par une lettre hébraïque). Le psaume 118, 22 strophes *(id.)*. Le psaume 144, 22 versets.

« Pour les Bambaras [Malinkès ou Malis de l'ex-Soudan français]... la totalité des connaissances mystiques est contenue dans la symbolique des vingt-deux premiers chiffres... » (*Dictionnaire des Symboles*, R. Laffont.)

Louis XIV, le « Roi Soleil » est devenu roi à l'âge de 22 ans.

La Confédération helvétique comportait 22 cantons. (L'addition d'un nouveau canton — le Jura — ne marquerait-elle pas un nouveau « cycle » dans l'histoire de la Suisse ?)

33

D'après la tradition islamique, Dieu enseigna à Adam 32 lettres de l'alphabet. (N'y a-t-il pas identité entre l'Adam-*Kadmon* de la tradition sémitique et le *Cadmos*, inventeur de l'alphabet selon la tradition méditerranéenne ?)

La tradition hébraïque compte « 32 chemins de la Sagesse » indiqués par les 10 Séphiroth et les 22 courants.

Si l'on tient compte de l'Inconnaissable ou *Aïn Soph,* on obtient le nombre 33.

Jacques Breyer l'appelle « Grand chiffre sacré ».

La Maçonnerie traditionnelle comporte 33 degrés d'initiation — et le Conseil de l'Ordre du G ∴ O ∴ D ∴ F ∴ compte 33 membres.

Jésus le Christ est mort, et ressuscité, à l'âge de 33 ans.

40

Valeur numérale de la treizième lettre hébraïque (voir 13). Marque un temps de purification, de « décantation »...

Le Déluge dure 40 jours.

(40 jours de pluie — ou de sécheresse — suivent la Saint-Médard, selon le temps de ce jour.)

Moïse reste 40 jours dans le Sinaï.

Elie est nourri 40 jours par les corbeaux.

En alchimie, 40 « jours philosophiques » désignent une période de purification.

47, 48, 49 et 50

47, nombre premier, est la valeur kabbalistique du nom d'Adam, l'homme primordial.

$48 = 4 \times 12$, est une « concrétisation » du cycle duodécimal. Selon Ouspensky, 48 est le nombre de « lois » auxquelles la Terre — et tout ce qui la constitue — est soumise. On a longtemps cru que 48 était le nombre de chromosomes qui déterminent le caractère génétique d'un individu : en fait, ils sont 46.

49 = 7 × 7, cycle « jubilaire » (voir nombre 7).

Dans la divination par le I King, on utilise 49 baguettes divinatoires — une 50ᵉ baguette, représentant le Tao, ou l'Absolu, étant mise de côté.

« Le Zohar déclare que toute parole de l'Ecriture est susceptible de 49 interprétations correspondant aux 49 portes de miséricordes dont la période jubilaire est l'image... » (Abellio.)

Ailleurs, un texte parle des « 50 portes de la Sagesse ».

50 est un des nombres symbolisant l'homme total. On peut l'analyser :

— comme 5 × 10 : l'homme manifesté par un cycle entier de création : réalisation globale de ses possibilités. C'est le produit de la valeur numérale des deux premières lettres du Tétragramme : iod, hé (10 × 5) ;

— comme 5^2 × 2 : l'homme incarné (5^2) dynamisé par le 2.

Il y a 50 lettres dans l'alphabet sanscrit. On les représente sur une guirlande portée par Brahma. Les lire dans l'ordre *(anuloma)*, c'est parcourir la création *(shrishti)* et dans l'ordre inverse *(viloma)*, c'est participer à la réintégration *(nivritti).*

36, 72, 108, 60, 360

36 est le *trigon* formé des quatre premiers nombres impairs (1 + 3 + 5 + 7 = 16) et des quatre premiers nombres pairs (2 + 4 + 6 + 8 = 20) — autrement dit : 36 = vs 8.

D'autre part : $36 = 1^3 + 2^3 + 3^3$.

L'astrologie chinoise compte 36 étoiles « bénéfiques » et 72 étoiles « maléfiques ». (La mythologie égyptienne raconte que Set fait appel à 72 mauvais esprits contre son frère Osiris.)

L'expression populaire française : « être au trente-sixième dessous » fait référence à un ancien système cosmogonique comprenant un cycle de 3 × 12 ciels, et leurs inverses : 3 × 12 enfers...

Soit 6 × 12 = 72 étages d'une « échelle de Jacob » reliant le « feu des profondeurs » au « feu du ciel »...

Platon, dans sa *République,* parle de 72 comme d'un *nombre nuptial* : noces de la Terre et du Ciel ?

Les Assyriens, les Chaldéens et les juifs, comptent dans leurs « calendriers magiques », 72 anges tutélaires. Il y a 72 demi-décans dans l'année (36 décans) — (plus les cinq jours « épagomènes »).

72 est le nombre de lieutenants de Moïse (selon le conseil de Jethro) et c'est le nombre du cercle élargi des disciples du Christ.

72 ans est « un jour » de la « grande année pythagoricienne » *(Mitacomésis).* (360 × 72 = 25 920 ans — cycle de la précession des équinoxes.)

108 est une des divisions naturelles du cercle. (108 = 36 + 72 = 9 × 12). En Orient, on parle de 108 rameaux ou *navamsas.* Les chapelets shivaïque, tantrique et bouddhique comportent 108 grains.

108 est également un cycle important de la Rose+Croix.

60 est le produit : 3 × 4 × 5 — significatif pour les pythagoriciens, par référence aux faces des polyèdres réguliers : trigone, carré, pentagone. De plus, ces nombres sont soumis à la relation pythagoricienne : $3^2 + 4^2 = 5^2$.

Aristote parle du crocodile des fleuves qui pond soixante œufs de couleur blanche (soit 5 « douzaines » d'œufs !) et les couve pendant soixante jours. Jamblique dit que le nombre soixante est « propre au Soleil » — (mais conteste que l'on attribue cette relation au crocodile !)

Le fait que 6 triangles équilatéraux sont exactement inscriptibles dans le cercle entraîne une division « naturelle et spontanée » (Neroman) du cercle en 6 et en multiples de 6.

60 × 6 = 360.

Tous les calculs sur la circonférence du cercle utilisent la base de 360 degrés (la division « rationnelle » en 400 grades n'est pratiquement pas adoptée). Dans la mesure du temps, l'heure est divisée en 60 minutes et la minute en 60 secondes. (De même les « degrés », en trigonométrie.)

Le Zodiaque est divisé en 360 degrés, chaque jour ayant une signification particulière. En Egypte, les prêtres prélevaient chaque jour une coupe d'eau du Nil, versée dans un tonneau sacré, à Archante. Un génie correspond à chaque jour (360 dieux dans la théologie orphique, 360 « éons » pour les gnostiques, etc.).

L'architecture sacrée reproduit souvent ce nombre : 360 chapelles sont bâties autour de la mosquée de Balk, 360 temples sur la montagne Lowham (Chine), 360 statues de divinités au palais du Daïri (Japon), etc.

Immanuel Velikovsky *(op. cit.)* a montré que tous les peuples de la Terre ont connu une année d'exactement 360 jours. Des documents archéologiques incontestables hindous, perses, babyloniens, égyptiens, mayas, chinois, sont unanimes à parler d'une année de 360 jours et diverses chroniques relatent la décision d'ajouter 5 jours au calendrier, aux environs du VIIe siècle avant J.-C. La Bible parle dans l'*Exode* de douze mois de trente jours, et donne ses dates en fonction d'une année de 360 jours.

Plutarque fait allusion à cinq jours qu'Hermès intercala dans une année de 360 jours (en dérobant quotidiennement 1/72e de jour...) Il dit par ailleurs que l'année romaine n'avait que 360 jours au temps de Romulus. Hippocrate, Xénophon, Aristote et Pline disent que « sept années comprennent 360 semaines »...

Les archéologues et historiens modernes ne trouvent pas d'explication satisfaisante à cette différence de 5 jours, alors que tous ces peuples témoignaient, par ailleurs, d'une grande maîtrise de l'astronomie. Il n'y a qu'une solution : l'année solaire s'est *effectivement* allongée de 5 jours, 5 heures, 48 minutes, 46 secondes, à la suite d'un bouleversement cosmique qui modifia l'axe de la Terre et ralentit sa vitesse de rotation, quelques siècles, à peine, avant J.-C.

La division du cercle en 360° est donc un héritage de l'astronomie des peuples de l'Antiquité. Il est remarquable que l'année solaire eût été exactement le produit de $3 \times 4 \times 5 \times 6$ jours, chiffres particulièrement significatifs dans le contexte pythagoricien. Le nombre 360 semble avoir une relation privilégiée avec la structure numérale de l'espace-temps.

Les amateurs d'égyptologie seront peut-être intéressés à l'idée que 360 souverains ont régné en Egypte, depuis le premier pharaon connu (environ 3000 ans avant J.-C.) jusqu'à l'empereur Auguste (an 1 de l'ère chrétienne).

Et pour finir : une lecture attentive de la Bible permet d'y relever (d'après le pasteur R. Wurmbrand) exactement trois cent soixante-six fois l'expression : « ne craignez pas » — soit au moins une parole apaisante par jour dans l'année...

153

Peu de temps après sa Résurrection, Jésus apparaît à ses disciples, sur les bords du lac de Tibériade, à l'aube d'une nuit de pêche où ils ne prirent rien. « Il leur dit : " Jetez le filet à droite de la barque et vous trouverez " (...) " ils ne parvenaient plus à le relever tant il était plein de poissons " (...) Simon-Pierre tira à terre le filet plein de gros poissons : cent cinquante-trois ; et quoiqu'il y en eût tant, le filet ne se déchira pas. » (Jean 21, 4-11.)

Mgr Jean de Saint-Denis donne cette interprétation *(op. cit.)* : « Nous savons par l'Evangile que 153 cultures, traditions, consommeront le nombre, 153 traditions essentielles doivent alourdir les filets des pêcheurs apostoliques. »

Nous avons vu (à propos du nombre 5) que 153 est la somme de : $1! + 2! + 3! + 4! + 5!$ — C'est un nombre en rapport avec la *perception* sensorielle et extra-sensorielle.

C'est également la valeur secrète de 17. ($153 = vs$ 17).

L'arcane 17 des Tarots est *l'Etoile* ou *les Sept Sceaux*. Il indique, entre autres, que « ce qui est caché doit être révélé au grand jour » : c'est le sens du mot *apocalypse*.

666

« C'est ici qu'il faut de la finesse ! Que le possesseur d'intelligence calcule le nombre de la Bête ! C'est un nombre d'homme. Son nombre est six cent soixante-six. » (Ap. 13, 18.)

Une variante de texte donne : 616.

Dans son savant ouvrage *La Plaine de Vérité*, D. Neroman affirme que « les " nombres d'homme " dont parlent les Ecritures sont de la forme $n^2 + 1$ ».

Nous avons cherché s'il existe un nombre entier n tel que : $n^2 + 1 = 666$ ou $n^2 + 1 = 616$. Or il n'existe pas de racine entière à 615 (616 — 1) ni à 665 (666 — 1). (En effet : $24^2 + 1 = 577$; $25^2 + 1 = 626$; $26^2 + 1 = 677$.)

Par contre, s'il y a une relation de 666 avec un « nombre d'homme » (selon Neroman), c'est avec le « nombre d'homme » de 6 : $6^2 + 1 = 37$.

Idéographiquement : 666 : « trois fois six » : $3 \times 6 = 18$. Or $37 \times 18 = 666$. — D'autre part 666 est la valeur secrète de $6^2 = 36$.

666 est également six fois multiple de 111 qui est la somme de deux « nombres d'homme » (de 3 et de 10) : $3^2 + 1 = 10$; $10^2 + 1 = 101$; $10 + 101 = 111$, $\times 6 = 666$.

Neroman remarque que « 6 est le cycle soli-lunaire ramenant en coïncidence, tous les six ans, la Lune noire et le Dragon (nœud lunaire) ; ce cycle *en vibration* est donc $6 + \dfrac{1}{6}$, et si on l'applique au Zodiaque divisé en 108 navamsas... on obtient : $(6 + \dfrac{1}{6}) \, 108 = 648 + 18 = 666$, encore le nombre de la Bête ».

Une autre façon arithmologique d'obtenir 666 (analysée par R. Abellio, qui y voit « un nombre-clef de la vie ») est la somme des trois premiers nombres (en permutation) :

série « ordonnée »	série « désordonnée » :
123	132
231	321
312	213
666	666

Nous y voyons la manifestation des trois termes de la Trinité, dans les « trois plans » (spirituel, animique, matériel) selon trois ordres différents. (Il existe *six* variantes de chaque série, soient *douze* manifestations différentes égales à 666.)

...

Le nombre 666 peut également se déduire de la valeur kabbalistique de certains noms.

666 est la somme de la valeur ésotérique

de Aïn Soph : 166	O	(vide absolu)
et de Kether : 500	•	(unité)
666	⊙	(soleil)

D'après J. Marquès-Rivière, 666 est le nombre d'un « daïmon » solaire nommé « Sûrath ».

Le « daïmon » d'une divinité correspond à son plan inférieur, égotique et instinctuel. Le « daïmon » du Soleil est, en quelque sorte, un reflet, une caricature du véritable Soleil.

C'est pourquoi l'Antéchrist peut « singer » le Christ.

Certains commentateurs ont assimilé la « Grande Prostituée » de l'Apocalypse à la déesse phrygienne Cybèle, dont le culte orgiaque se répandit dans le monde gréco-romain au III° siècle avant J.-C. Son compagnon Attis (ou Atys) était donc un « Antéchrist » tout désigné. (Le bonnet « phrygien » n'est-il pas resté le symbole de l'affranchissement et de la liberté, après 1789, mais également celui d'un Etat sanguinaire et athée ?)

Or le nom d'Attis, Ἀττεις, en grec, se chiffre
au datif : $1 + 300 + 300 + 5 + 10 = 616$;
à l'accusatif : $1 + 300 + 300 + 5 + 10 + 50 = 666$.

Le nom de Jésus, Ἰησους, se chiffre 888, d'après le nominatif.

Neroman donne l'explication suivante : Attis au datif, c'est... « le rival agissant de Jésus, Jésus (nominatif) étant *contre* Attis (datif) ; c'est l'*Eglise militante* ; Attis à l'accusatif, c'est le rival vaincu... Jésus (toujours au nominatif) *domine* Attis, ... c'est l'*Eglise triomphante* ».

Quant à la différence de 50 — entre 616 et 666 — elle s'explique arithmologiquement :
$50 = 22 + 28$; or $666 + 1 = (22 + 1) \times (28 + 1)$ [$667 = 23 \times 29$]

Neroman, qui signale cette solution, conclut à « une réelle *équivalence des deux nombres en litige*, équivalence qui seule pouvait permettre de clore élégamment le débat ».

Une note de la *Bible de Jérusalem* indique que 666 est la traduction numérique de César-Néron, en hébreu, et 616 celle de César-Dieu, en grec.

666 serait donc — « caricature du Soleil » — le symbole du pouvoir ou de l'Etat « divinisé ». Inversement, il peut désigner les abus temporels d'un pouvoir qui se devrait spirituel — ou plus simplement : la représentation temporelle d'un ordre spirituel. Beaucoup y voient l'image de l'Eglise romaine, héritière des Césars.

La tiare papale est censée porter l'inscription : VICARIVS FILII DEI (Vicarius Filii Dei : Vicaire du Fils de Dieu).

Or, certaines lettres sont également des chiffres (romains). On en déduit :

VICARIVS :	$V = 5, I = 1, C = 100, I = 1, V = 5 = 112$
FILII :	$I = 1, L = 50, I = 1, I = 1 \qquad\qquad = 53$
DEI :	$D = 500, I = 1 \qquad\qquad\qquad\qquad = 501$
	$\overline{666}$

666 est essentiellement le nombre des *apparences,* auxquelles, comme chacun sait, *il vaut mieux ne pas se fier.*

PRATIQUE DE LA NUMÉROLOGIE. L'ÉCONOMIE DU DESTIN

« Il est juste de dire qu'il y a une grande différence entre la numérologie, dotée de règles bien établies, et la prophétie. Mais il faut bien souligner une fois de plus qu'il n'existe pas de sciences exactes de la prédiction, que ce soit par les étoiles, les nombres, les lignes de la main, et par toute autre chose. Tout dépend du talent inné du devin. »

Colin WILSON.
(L'Occulte.)

A ce stade du livre, l'auteur exprime ses excuses auprès du lecteur pour l'usage du mot « numérologie », barbarisme ignoré des dictionnaires, fabriqué à partir d'une racine latine (numerus) et d'une racine grecque (logos), alors que les mots arithmologie (science de nombres), arithmomancie (divination par les nombres) et arithmosophie (philosophie des nombres) seraient beaucoup plus orthodoxes.

La consultation numérologique : psychologie et parapsychologie

Il y a une analogie entre le monde « mathématique » et le monde « divinatoire », l'*intuition* y jouant le rôle principal, non comme phénomène « imaginatif », mais comme *dévoilement* de structures rigoureuses dont dépend l'équilibre de l'Univers.

Les nombres permettent, d'autre part de porter, par *induction*, l'étude de la réalité au-delà de nos sens physiques.

Bien des dimensions *réelles* de l'Univers échappent à la perception de nos sens. Tout le champ d'activité humaine (apparente) se déploie dans un espace à trois dimensions et un temps vécu comme linéaire. Le champ des perceptions de l'homme est également limité à ses seuls sens, conditionnés par la nature pour réagir à certaines fréquences vibratoires — qui ne représentent qu'une part quasi infinitésimale de l'échelle vibratoire du monde physique.

Que le monde physique possède des éléments « invisibles » (en deçà, au-delà, et parallèlement aux taux vibratoires que nous pouvons capter), ceci est une évidence scientifique. Il suffit, pour s'en convaincre, de considérer les ondes radio, les infra-rouges et ultra-violets, les infra-sons et ultra-sons, etc. Et pourtant ces ondes nous traversent et participent à une vie plus subtile de notre psychisme, notamment sous la forme d'E.S.P. (Extra-Sensorial Perception : perception extra-sensorielle) et autres phénomènes parapsychologiques.

Parmi les vibrations qui nous sont immédiatement accessibles, les plus lourdes sont perçues par le sens du toucher, et les plus subtiles par le sens de la vue. Il est logique que puissent exister des vibrations infiniment plus subtiles que celles perçues par la vue.

Pourquoi ne seraient-elles absolument pas perceptibles ? Lobsang Rampa dit des êtres humains « qu'il leur manque l'organe qui leur permettrait de percevoir cette autre dimension »... *(Les clés du Nirvana.)*

Il est prouvé que chez certains sauriens, par exemple, un « troisième œil » (dont la structure physiologique est *l'inverse* de l'œil normal) perçoit des vibrations telles que les ultra-violets... Mais beaucoup d'êtres humains possèdent (souvent sans le savoir) ce que (faute d'une appellation plus originale), l'on a qualifié de « sixième sens »...

Nous sommes tous traversés par des idées ou des sentiments qui nous semblent, parfois, « étrangers » à nous-mêmes, dont nous serions, en quelque sorte, les « récepteurs ».

L'esprit humain semble être capable de retrouver en son « for intérieur » une communication avec tout le cosmos. Nous possédons, de façon souvent inconsciente, un « ordinateur » intérieur, microcosme du grand « ordinateur » et « ordonnateur » cosmique, qui maintient l'harmonie du monde.

Notre psychisme peut être considéré également comme le « terminal » de cet autre vaste ordinateur que constitue *l'inconscient collectif de l'humanité,* où sont entreposés en « mémoire » toutes les connaissances, les mécanismes et les archétypes qui nous font agir et réagir.

La divination s'appuie donc sur des bases connues de la psychologie des profondeurs — leur but commun étant de créer une relation entre le « conscient » et l' « inconscient ». La notion d'inconscient collectif, explorée par Jung, est comparée par Pierre Daco à un « passeport pour l'infini »...

Les différents aspects du nombre sont présents dans cet « infini » : le nombre-outil (cf. Renouvier, Bachelard), le nombre-abstraction (« ... cet univers né de l'homme [qui] rejoint un absolu dont l'homme lui-même dépend » — A. Gide), le nombre — « essence » ou archétype (Platon, Pythagore, Jung...)

Dans le prologue à une réédition de son *Histoire de l'Eternité,* Jorge-Luis Borges écrit : « Je ne sais comment j'ai pu comparer à d'immobiles pièces de musée les formes de Platon, et comment je n'ai pas senti,... que ces formes sont, au contraire, vivantes, puissantes, organiques. Je comprenais qu'il n'y a pas de mouvement hors du temps (occupation de lieux différents en des moments différents), je ne comprenais pas qu'il ne peut pas y avoir non plus d'immobilité (occupation d'un même lieu en des moments différents). » (Coll. *10-18* — n° 184.)

En ésotérisme, la notion d'archétype est riche de plusieurs sens : étymologiquement (de αρχη), elle désigne le *principe*, l'*origine* ; mais par analogie phonétique avec *arche* (le pont ou le coffre) elle désigne également la transmission vivante (pont — vibration) et le réceptacle (coffre — symbole, forme) d'une réalité transcendante. Paracelse et J. B. Van Helmont désignaient par le mot : *archée*, le principe vital « participant à la matière et à la pensée, expliquant le développement des êtres vivants ».

La psychologie, comme les sciences divinatoires, constate qu'il existe une relation étroite, organique, entre le monde *psychique* des idées, pensées et sentiments, et le monde *physique* des faits, des êtres et des choses.

Sigmund Freud, le « père de la psychanalyse » (qui était peut-être agnostique mais non pas sceptique) écrit dans *Psychopathologie de la vie quotidienne* : « Si on examine un nombre à plusieurs chiffres, composé d'une manière en apparence arbitraire [...] on constate invariablement qu'il est rigoureusement déterminé, qu'il s'explique par des raisons qu'en réalité on n'aurait jamais considérées comme possibles. » (Petit. Bibl. Payot, p. 258.)

C. G. Jung, qui s'intéressait par ailleurs à la divination par le Yi-King et à l'astrologie — non seulement pour l'étude des archétypes en général, mais aussi pour l'aider à résoudre des cas très concrets relatifs aux problèmes particuliers de ses malades — dit, quant à lui, s'être livré « à un essai sur le comportement des chiffres auxquels on peut attribuer une certaine autonomie. Dans des situations animant un archétype [...], les chiffres peuvent correspondre à une attente émotionnelle, sous l'influence d'un facteur d'arrangement. » (*Astrologisches Experiment, Zeitschrift für Parapsychologie und Grenzgebiete der Psychologie,* Francke Verlag, 1957.)

Voyance et prévoyance : la divination est, aux impondérables, ce que la prospective est à l'univers « pondérable »...

La prospective se base sur des données concrètes chiffrées : c'est une sorte de divination électronique dont les résultats ne sont pas tellement plus sûrs que ceux d'une *mancie* basée sur des données abstraites « captées » dans l'inconscient collectif, ou dans la conscience cosmique. Les certitudes, que l'on tire des méthodes de divination traditionnelles, sont d'ordre subjectif et permettent, *avant tout,* d'orienter le comportement des humains vers un *mieux être,* et non directement vers une puissance matérielle.

La divination et la prospective ont ceci de commun qu'elles sont, en principe, la *perception d'un état présent* : toutes prédictions d'avenir ne pouvant être données qu'en fonction de ce qui existe déjà, *en puissance, dans le présent.*

Aussi, la première règle, lorsque l'on interroge les nombres, est de savoir clairement ce que l'on cherche. Une question bien posée contient en elle-même sa réponse : c'est-à-dire que tous les éléments d'information qui permettent de répondre avec certitude et précision sont contenus dans la demande (ceci est vrai dans tous les secteurs d'activité).

La plupart des problèmes posés peuvent se résumer à quelques besoins et à quelques désirs fondamentaux. Les psychologues les connaissent bien. Les vendeurs en général, et les « marchands de rêve » en particulier, les connaissent bien aussi.

Ces besoins et désirs peuvent à leur tour se résumer en une seule aspiration : la soif de plénitude — que ce soit sur les plans matériel, physique, affectif, intellectuel, social, philosophique ou spirituel. L'être humain constituant une entité « globale », ces divers plans ne peuvent pas être totalement séparés. Leurs manifestations sont distinctes mais leur source est unique : la vie, « qui n'aspire qu'à elle-même », comme dit K. Gibran.

Ainsi, lorsqu'un problème se pose, on constate invariablement qu'il y a quelque part un « vide » à combler. C'est ce que la première tâche du numérologue consiste à découvrir. « La divination, prise dans son vrai sens, est un diagnostic spirituel, chose très différente de la bonne aventure » (Dion Fortune, *La Cabale Mystique,* 1937).

Les mancies ne sont que des instruments d'investigation. Mais plus on approfondit l'étude des traditions qui en sont à l'origine, plus la perspicacité se développe, avec la connaissance de soi, des autres et de l'Univers. « Gnôti séauton... »

Les vertus magiques, fatidiques et morales que l'on attribue aux Nombres sont directement liées à leur symbolisme, dont la connaissance permet de comprendre leur action et leur influence dans la vie quotidienne.

2

L'économie du destin

La vie est-elle un jeu ?

Les philosophies modernes voient, dans les phénomènes de la vie, le produit du hasard. Mais le *hasard* n'est qu'un nom que nous donnons à notre ignorance.

Ce mot, apparu vers le XII° siècle dans notre langue (sous la forme : *hasart*, par l'espagnol : *azar*) vient de l'arabe *az-zahr*, qui désigne le *dé*.

Le *dé* est devenu un jeu, mais il a toujours servi à « tirer au sort », c'est-à-dire tirer un présage, arracher au destin mystérieux une bribe de son secret, voire forcer le destin en attribuant au dé un pouvoir de décision.

C'est aux dés que les soldats romains tirèrent au sort la tunique de Jésus.

Dans *La vie de Romulus*, Plutarque montre les dieux descendus de l'Olympe afin de jouer aux dés avec les gardiens des temples.

Le dé (ainsi que son dérivé : le domino) est resté un des supports de divination par les nombres.

D'ailleurs, la plupart des jeux existant aujourd'hui ont été jadis des procédés de divination, par analogie avec un mystérieux jeu cosmique et numérique dont les dieux seraient les protagonistes.

En Afrique, par exemple, l'*awèlé* est un jeu pratiqué sur tout le continent noir (jeu à *douze* cases analogue au *Papandakou* des Malais, au *Tchanka* de Ceylan, au *Mancala* arabe, à la *Chouba* syrienne). Il servait, notamment chez les Alladians de Côte-d'Ivoire, à choisir le nouveau roi : les candidats à la succession jouaient à l'*awèlé* toute une nuit : le gagnant était considéré comme l'élu des dieux.

Un jeu tel que le *Mah-jung* chinois semble avoir des rapports avec l'ésotérisme des nombres.

Quant à notre jeu de cartes ordinaire, c'est un dérivé direct du Tarot divinatoire, tout imprégné de symbolisme numéral.

Lorsque l'on dit qu'un nombre est donné « par hasard », cela ne signifie pas par fantaisie ou par décision aveugle du sort, mais bien plutôt par l'effet de lois précises — dont la loi des grands nombres, la loi des séries, etc., ne sont que des approximations. « Le hasard n'existe pas, affirme Paul Bouchet dans sa *Divination par les nombres,* il n'y a que des coïncidences dont les éléments de calcul nous échappent. »

Denis Poisson (mathématicien français, 1781-1840) écrit en 1838 : « Les choses de toute nature sont soumises à une loi universelle qu'on peut appeler la loi des grands nombres... » Cette loi suppose la constance de rapports dépendant de causes constantes — qui permet le calcul des probabilités.

Il n'existe pas encore une seule science qui rende compte globalement de la multiplicité des causes qui agissent dans l'Univers. La tradition ésotérique, quant à elle, ramène tous les phénomènes, quels qu'ils soient, à une « cause unique sans cesse démultipliée »...

Il est relativement facile de circonscrire le hasard « fabriqué », c'est-à-dire dépendant d'une série limitée de causes connues.

Les joueurs de bridge savent que les possibilités de « donnes » — c'est-à-dire de distribution des cinquante-deux cartes à quatre joueurs (treize cartes chacun) — sont quasiment illimitées. Il n'y a pourtant « que » 53 644 737 765 488 792 839 237 440 000 événements possibles dans cette distribution.

Certaines de ces combinaisons n'ont jamais paru et ne paraîtront jamais sur une table de bridge. On a cité un cas unique où, dans une compétition, les quatre joueurs possédaient chacun treize cartes de la même couleur. Il est moins rare qu'un joueur ait « en main » entre dix et douze cartes de la même couleur. Certains « types » de combinaison sont assez courants pour qu'on ait pu en déduire certaines règles de comportement au cours d'une partie (indépendamment des règles du jeu proprement dites).

Les causes sont ici limitées à cinquante-deux cartes mélangées et divisées par quatre...

Le problème est, apparemment, beaucoup plus simple lorsque l'on tire à « pile ou face » : il n'y a que deux solutions possibles.

Le « pari » sur un tel jeu dépend donc d'une « mise en équation », d'un dosage des conséquences de chaque solution. Et l'on opte pour le plus avantageux (apparemment). C'est également le cas au poker, où un élément psychologique supplémentaire intervient : il faut, en effet, tenir compte d'un éventuel « bluff » des interlocuteurs.

Le plus célèbre « pari », qui sert d'exemple dans tous les manuels de mathématiques statistiques, est celui de Pascal ; celui-ci incitait les « libertins » à jouer réellement « gros », c'est-à-dire à choisir le mode de vie le plus avantageux.

C'est le fameux pari sur l'existence de Dieu. De deux choses l'une : ou bien Il existe — et j'ai tout à gagner à croire en Lui — ou bien Il n'existe pas — et je n'ai rien perdu à avoir cru en Lui.

En fait, on se trouve souvent, dans la vie, devant une multitude de petits « choix », moins importants peut-être dans l'absolu, mais dont les conséquences sont incalculables quand on se rend compte que chaque détail conditionne notre destin.

Beaucoup se laissent paralyser par la nécessité de choisir, faute d'une meilleure connaissance d'eux-mêmes et des lois cosmiques.

Francis Bacon a énoncé ce paradoxe de la vie : « Qui veut dominer la nature doit se conformer à ses lois »... La plus grande « liberté » serait donc acquise par la plus grande « obéissance ». Toute l'évolution de la science moderne a été conditionnée par l'énoncé de cette évidence paradoxale, applicable à tous les domaines de l'existence.

Le savant et romancier Isaac Asimov a imaginé le développement futur d'une science qu'il appelle la « psychohistoire » et qui résume en quelques formules complexes toutes les données possibles de la psychologie et de la sociologie. Une telle science permettrait, en milieu humain, la prévision — et même la création — d'événements sur des milliers d'années...

Notre « prospective » contemporaine n'en est qu'à ses balbutiements et, faute d'une base de départ autre que purement statistique, risque de piétiner longtemps. L'*homo statisticus* n'est, en effet, qu'un être irréel et fantasmagorique qui hante l'esprit des seuls sociologues et économistes — mais n'a pas grand rapport avec un être humain comme vous ou moi... L'application aux affaires humaines du calcul des probabilités reste donc bien aléatoire et ... hasardeuse.

La difficulté provient peut-être du fait que l'on prend en considération une masse d'informations « périphériques » dont on cherche à déduire des lois générales... Le problème serait, peut-être, plus simplement résolu en partant du « centre », c'est-à-dire de la « source » des événements pour en comprendre logiquement les multiples manifestations. C'est, en tout cas, la voie de la tradition, qui, rappelons-le, considère les nombres comme des *archétypes issus de l'unité,* et non comme des instruments de calcul.

« *La Science numérale,* écrit Abellio, *est la science des cycles et des vibrations qui composent le monde.* Aussi bien comme toute science, elle est à la fois un mode de représentation et un moyen d'action. »

A toute branche de l'ésotérisme correspond sa « magie » et sa « mancie » : ses techniques d'utilisation pratique.

La connaissance du « savant » est une construction logique : le « voyant » perçoit la structure de cet édifice sans être nécessairement « encombré » d'une accumulation de connaissances répertoriées. C'est ainsi que la connaissance des structures occultes (numérales) de l'Univers peut être utilisée dans le domaine psychique (prémonition, intuition, prophétie, conduite de la vie du point de vue psychologique ou moral...).

On peut lire dans le *Dictionnaire des symboles* (R. Laffont éd., p. 295, § 4) cette appréciation profonde : « La tentation de passer de la connaissance au pouvoir est constante. L'utilisation magique, opératoire ou divinatoire, est une perversion habituelle de la perception du symbole. La valeur antique et profonde du symbole, qui devait conduire l'âme à une vue mystique des choses, est détournée à des fins de domination. » Tout symbole — tout nombre — devrait être considéré comme le *support d'une perception transcendante.*

C'est pourquoi on ne perdra pas de vue que, dans toute mancie, le *procédé* n'est qu'une approche (phénoménale) qui doit céder le pas à une perception globale, intérieure (« nouménale » dirait Kant), qui transcende toute technique divinatoire.

Mais si le « sage » délaisse les « pouvoirs » pour se consacrer à la « connaissance » dans laquelle il trouve la sérénité de l'esprit et du cœur, cela ne l'empêche pas de *savoir agir avec justice et efficacité* lorsque cela semble nécessaire. Tout est une question de discernement.

Il existe, à Paris, un « maître en numérologie » capable de donner tous les tiercés dans l'ordre, sans qu'il ait jamais joué ou fait jouer sur ses pronostics. L'enveloppe scellée qui les contient n'est ouverte qu'après la course. Ainsi ce « sage » trouve une satisfaction non dans le pouvoir, mais dans la *source* de ce pouvoir, qui est la *connaissance*.

Les procédés n'ont donc de valeur ou d'utilité qu'en fonction du but poursuivi. Leur usage entraîne la responsabilité de l'usager.

La loi du *karma* sous-tend toute doctrine ésotérique : ce mot, en sanscrit, signifie *action*, dans le sens d'un enchaînement des causes et des effets... Si notre ignorance nous fait parler de hasard dans le déroulement des événements, cela n'empêche pas les lois d'agir, plus ou moins à notre insu. Si l'on jette machinalement un caillou en l'air, la loi d'attraction fait que l'on risque de le recevoir sur le crâne : c'est ainsi qu'agit le *karma*.

Les maléfices n'existent pas : c'est une invention des marchands d'amulettes. Les forces occultes existent, mais leurs effets ne dépendent que de l'état d'esprit — négatif ou positif — de celui qui les utilise : tout le monde, consciemment ou inconsciemment, fait de la magie.

La magie noire n'a aucune existence *en soi*. C'est simplement une *absence* d'harmonie, ou une *lacune* dans la pensée.

La magie *normale* est toujours blanche et bénéfique : de même que la santé devrait être l'état *normal* de l'humanité et le bien-être le lot de chacun, si chaque habitant de notre planète était essentiellement préoccupé du bonheur de ses voisins.

Il n'existe donc pas de « chiffre maléfique » ni de situation désespérée. Il n'y a que des obstacles qui, par définition, sont faits pour être surmontés.

Un Mage citait ce proverbe : « L'huître heureuse que rien ne vient irriter n'est pas celle qui produit la perle. » L'épreuve n'est jamais que le tremplin de la réussite.

Les « cartes » dont on dispose au moment de la naissance — qu'elles soient exprimées par les lois héréditaires ou par les lois astrologiques et numérologiques, ne sont pas le produit du hasard, mais dépendent à la fois du *karma* individuel (si l'on admet les vies antérieures) et du *karma* collectif de l'humanité terrestre, dont nous sommes solidaires, que nous le voulions ou pas.

Mais il est possible *pour chaque individu* de *prendre en main son destin* au lieu de le subir. L'étude des sciences traditionnelles — telles que la numérologie — peut, sans remplacer l'effort personnel, l'y aider.

La vie est donc un jeu, un « jeu sérieux » sans doute (selon l'expression de Novalis) mais dont les règles et les données laissent une certaine marge de liberté et de fantaisie...

Les anciens druides disaient que « l'Incréé a voulu que le Destin ne puisse régir en son absolue rigueur qu'un tiers des événements, et encore nous a-t-il permis d'en calculer les effets. A l'homme il donna la liberté de disposer du second, de se mouvoir à son gré sur la route de la vie, mais il se réserva le troisième tiers qu'Il maintient impénétrable ». Ainsi, les sciences divinatoires et conjecturales permettent « de connaître ou d'influencer les 2/3 des événements. C'est déjà beau ! » (P. Bouchet, *Perrière-les-Chênes.*)

L'écrivain Michel Random me raconta comment, dans sa jeunesse, il rêva du numéro gagnant de la Loterie nationale. L'impression de « réalité » était telle, qu'il se mit en quête du billet portant le numéro en question. Mais il ne lui était guère possible de prospecter toute la France... Le numéro rêvé gagna effectivement le gros lot : si cette expérience n'enrichit pas notre ami, elle lui donna cependant la conviction que des lois — le plus souvent inconnues — peuvent agir à notre insu.

Un examen plus approfondi de ces lois nous permettra peut-être un jour de conclure, définitivement, à la « non-nécessité » du hasard.

Opérations numérologiques. Analyse d'un nombre

La pratique de la numérologie est fondée sur des axiomes à caractère symbolique, dont les sources — comme nous l'avons développé — sont traditionnelles et cosmogoniques. Les postulats de base sont donc, « techniquement », ni plus ni moins arbitraires que ceux de n'importe quel système arithmétique ou géométrique. Une fois admis ces postulats, on est en possession du visa qui permet la libre circulation au pays du chiffre vivant.

Les opérations numérologiques possèdent donc la rigueur et la fécondité propres à toute démonstration mathématique. Mais elles s'appliquent dans leur champ propre, qui est celui de la valeur *qualitative* des nombres.

« Pour la Science initiatique, l'infini et les combinaisons de la série des nombres représentent une grandeur sans cesse changeante qui dépend du temps et de tel ou tel état de la monade. Autrement dit, tout nombre ou formule (ses qualités d'application et ses déductions) change avec la position de l'observateur et des objets observés dans le temps et dans l'espace » (Serge Marcotoune).

Pour « percevoir » un nombre, il faut d'abord « jongler » avec lui, le « décortiquer », saisir son contenu (analyse) puis le reconstituer globalement (synthèse).

En présence d'un nombre, quel qu'il soit, on prendra en considération :

— Le nombre lui-même pour autant qu'il ait un symbolisme connu qui lui soit propre (7, 12, 22, 360, 666, ou tout autre nombre remarquable...).

— Ses « géniteurs » — ou ses « sources » — par addition ou multiplication (référence aux *nombres premiers*).

Par exemple : 15 est égal à 3 × 5, mais également à 7 + 8, etc. Il est évident que plus un nombre est important, plus il sera riche en « composantes ». Il serait fastidieux de les rechercher toutes systématiquement. On tiendra compte des plus significatives, ou de celles qui « sautent aux yeux » au moment présent (un phénomène de voyance élémentaire, peut, à cet égard, jouer).

La base symbolique de cette analyse est ce qu'on pourrait appeler une « mathématique familiale » :

$$\left. \begin{array}{l} \text{union} \quad : 1 + 1 = 2 \\ \text{produit} : 1 \times 1 = 1 \end{array} \right\} \ 2 + 1 = 3$$

analogiquement :

$$\left. \begin{array}{l} \text{père} + \text{mère} = 2 \text{ personnes} \\ \text{père} \times \text{mère} = 1 \text{ enfant} \end{array} \right\} \ 3 \text{ personnes}$$

C'est ainsi que l'on peut affirmer, dans ce contexte numérologique, que 12 est l'enfant de 7 :

$$\left. \begin{array}{l} \text{union} \quad : 3 + 4 = 7 \\ \text{produit} : 3 \times 4 = 12 \end{array} \right\} \ 19 \text{ « monades »}$$

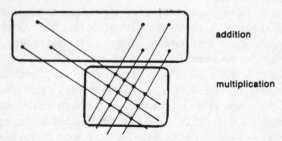

addition

multiplication

Représentation graphique pythagoricienne

Les opérations arithmétiques élémentaires, au nombre de quatre, sont en fait : $4 = 2^2$, c'est-à-dire l'avers et l'envers de l'union et du produit :

	avers	envers
union	(cœur) +	(intellect) —
produit	(âme) ×	(esprit) :

O. M. Aïvanhov voit dans ces quatre opérations fondamentales une analogie avec quatre fonctions (ou dimensions) essentielles de l'être humain :

« Le cœur additionne
L'intellect soustrait
L'âme multiplie
L'esprit divise »

que l'on peut analyser de la façon suivante :

	intégration (avers)	désintégration (envers)
union	(cœur) + accumulation	(intellect) — discrimination
produit	(âme) × amplification	(esprit) : distribution fractionnement

Ce qui correspond également à la bipolarité grammaticale, représentée par le « nombre » et le « genre » :

	masculin	féminin
singulier	+ union, intégration	— séparation
pluriel	× projection	: dispersion

Ces comparaisons analogiques permettent une analyse assez poussée, assez « fine », du contenu psychologique d'un nombre.

A ce propos, citons Pierre Orletz : « J'ai connu une personne qui, souvent, avait à parler à des candidats à l'initiation et il leur posait toujours la même question : « Comment vous représentez-vous le nombre 7 ? Comme 3 et 4, comme 2 et 5 ou comme 1 et 6 ? » Il assurait que d'après les réponses qu'il recevait il pouvait juger des différents caractères de ses interlocuteurs et leur donner des conseils sur la meilleure voie à suivre pour chacun. » (Préface à *Des Nombres* de L. C. de Saint-Martin.)

Il y a en fait six façons de décomposer le nombre 7 (ce procédé d'analyse des nombres est parfois appelé : « décomposition théosophique »). Serge Marcotoune en donne les interprétations philosophiques suivantes (dans *La Science secrète des initiés*, A. Delpeuch, 1938) :

$7 = 1 + 6$: « la monade qui a fait un choix régulier » ;

$7 = 6 + 1$: « la monade séduite par les choses conquises sur sa voie — acquisitions uniquement matérielles » ;

$7 = 5 + 2$: « la volonté qui a triomphé de la dualité » ;

$7 = 2 + 5$: « les doutes, le pessimisme ont définitivement dominé la volonté » ;

$7 = 3 + 4$: « les principes moraux gouvernent les œuvres du quaternaire : exemple, l'argent sert à l'homme de moyen, non de but » ;

$7 = 4 + 3$: « manifestations contraires ».

— Dans les cas — assez rares — de nombres symétriques, tels que : 88, 314 413, etc., on analysera le nombre en le partageant en deux : 314] [413
en considérant son double aspect : spirituel] [matériel.

En effet, les nombres symétriques sont une expression du principe de reflet : le premier terme symbolise un principe archétype du monde divin, le second son reflet dans la manifestation.

Il est écrit qu'avant toute création « l'esprit de Dieu planait sur les eaux » : la création proprement dite manifeste les principes divins (ou semence spirituelle) dans la matière (remarquons l'analogie des mots : *matière, mater* (la *mère*) et la *mer* — « les eaux »...) considérée comme *reflet* de l'esprit (« Tout ce qui est en bas est comme ce qui est en haut »).

— La *réduction théosophique* (ou *sommation*) — encore appelée : addition numérologique ou kabbalistique.

Elle s'opère, le plus souvent, selon les principes de la numération décimale (comme dans la « preuve par neuf »). Exemple :

$$734 \to 7 + 3 + 4 = 14 \to 1 + 4 = 5$$

On écrira :

$$734 \to 14 \to 5$$

Si l'on choisit un système d'interprétation sur la base 22 (interprétation selon les lames majeures du Tarot — voir plus loin, chapitre 7), on peut :

— soit réduire le nombre (selon le principe ci-dessus) en retenant pour résultat un nombre entre 1 et 22 :

$$734 \to 7 + 3 + 4 = 14 \, ;$$

— soit soustraire 22 (ou un multiple de 22) :

$$734 \to 734 : 22 = 33 \text{ reste } 8 \, ; \, 734 \to 8$$

On dira que le nombre 734 est « fondé » (aspect statique) sur l'arcane 8, et « activé » (aspect dynamique) par l'arcane 14 des Tarots.

Rappelons que l'addition numérologique est significative, sur le plan symbolique, par le fait que l'on n'additionne que des *unités* (ou monades) de quelque plan que ce soit. Exemple :

453 est égal à :
4 unités du plan des centaines,
5 unités du plan des dizaines,
3 unités du plan de base, soit :
12 unités symboliques (en une réduction première), ou :
$1 + 2 = 3$ unités symboliques (en une réduction intégrale).

Autre exemple :

$$7867 \to 7 + 8 + 6 + 7 = 28 \text{ (réduction première)}$$
$$2 + 8 = 10 \text{ (réduction seconde)}$$
$$1 + 0 = 1 \text{ (réduction intégrale).}$$

Sur la base décimale, 9 est toujours égal à 0 d'un nouveau cycle. De même 22 = 0, dans les Tarots. (Certains utilisent : 21 = 0.) Pour simplifier la sommation, on revient donc à zéro chaque fois qu'un total de 9 est atteint. Ainsi :

$$91 \to 9 + 1 = 10 \to 1 + 0 = 1 \, ; \, 91 \to 1$$

On considère plus simplement :

$$91 \to [9] + 1 \to 1 \text{ ou} : 91 \to [9]1 \to 1$$

La réduction théosophique des nombres irrationnels n'est guère utilisée, mais le cas peut se présenter. On peut, par amusement, considérer le partage d'une tarte en sept parts : le chiffre 7 peut être considéré comme nombre globalement rattaché au partage du dessert. Mais si l'on veut connaître la valeur numérologique spécifique de chaque part, le problème est plus ardu :

Nous avons : $\dfrac{1}{7} = 0,142857\ 142857$, etc.

Heureusement, dans ce cas précis, un « bloc » de décimales revient périodiquement ; la réduction en est : $1 + 4 + 2 + 8 + 5 + 7 = 27 \rightarrow 2 + 7 = 9$. Quel que soit le nombre de fois que l'on multiplie 9, la réduction en est toujours 9. Ceci est démontrable par récurrence.

De même tout nombre irrationnel peut se partager en « blocs » de décimales dont la réduction sera égale à 9, et cela à l'infini. Mais dans un nombre tel que pi : 3,14159... on peut toujours arbitrairement décider que sa valeur numérologique sera 3, ou 1, ou 4 ou n'importe quel autre nombre, etc., puisque le reste des décimales sera toujours réductible à $9 \rightarrow 0$.

Il est donc impossible de définir la valeur symbolique d'un nombre irrationnel : elle est incommensurable — sauf dans le cas, exceptionnel, des nombres constitués de blocs dont la périodicité est reconnue.

...

— La *valeur secrète* ou *addition théosophique* — qui se calcule, comme on l'a vu, sur le principe des *trigons* (nombres triangulaires pythagoriciens) :

$$n \rightarrow vs\ n = n\frac{n + 1}{2}$$

Exemples : $vs\ 5 = 5\dfrac{5 + 1}{2} = 15$. (On écrira : $vs\ 5 = 15$.)

•	1
• •	2
• • •	3
• • • •	4
• • • • •	5
	—
	15

$$\cdot \; vs \; 12 \; = \; 12 \; \frac{12 + 1}{2} \; = \; 78.$$

La valeur secrète donne des indications sur le rapport ésotérique/exotérique d'un nombre. En clair, elle est la somme de l'origine « cachée » du nombre (progression génétique de l'unité qui conditionne l'existence d'un nombre, exemple : 1, 2, 3, 4 sous-tendent 5, ils sont les émanations successives et invisibles de l'unité, qui permettent l'existence visible de 5) et du nombre lui-même. Ch. Lancelin note, avec esprit : « On appelle addition théosophique l'addition de tous les nombres contenus dans un chiffre. La réduction théosophique est, au contraire, l'addition de tous les chiffres contenus dans un nombre. »

On peut considérer la valeur secrète *telle quelle*, ou bien réduite numérologiquement :

Tableau des valeurs secrètes réduites *(vsr)* selon la base décimale :

1 → 1		Ces nombres se répètent périodiquement. En
2 → 3		effet, tout nombre n peut être réduit à un nom-
3 → 6		bre m de 1 à 9. La valeur secrète réduite de n
4 → 1		sera toujours égale à la valeur secrète réduite
5 → 6		de m. Exemple : 413 → 4 + 1 + 3 = 8
6 → 3		*vsr* 413 = 9 ; *vsr* 8 = 9 ; *vsr* 413 = *vsr* 8.
7 → 1		(*vs* 413 = 85 491
8 → 9		→ 8 + 5 + 4 + 9 + 1 = 27
9 → 9		→ 2 + 7 = 9
		vsr 413 = *vsr* 8 = *vsr* 9 = 9.)

On constate, en outre, que ces valeurs sont au nombre de quatre : 1, 3, 6, 9 (l'unité et les trois termes du « triple ternaire »). (On peut également calculer les valeurs secrètes réduites sur la base 22 pour l'interprétation selon les Tarots.)

(Les pages qui suivent ne constituent qu'une approche sommaire de la « technique » numérologique proprement dite. A ceux qui souhaitent développer leurs connaissances en ce domaine, nous recommandons le livre de Kevin Quinn Avery, *la Vie secrète des chiffres*, qui nous paraît le plus sérieux et le plus complet.)

4

La carte d'identité numérologique
I. L'analyse numérologique des noms propres

De même qu'en astrologie on peut considérer le thème natal d'un individu comme une véritable *carte d'identité cosmique,* de même la numérologie permet de définir l' « équation personnelle » de chacun — où seraient formulées numériquement les motivations, les aspirations, les possibilités, etc., de la personne — à partir :
— du nom ;
— du prénom ;
— de la date de naissance.
(Une étude très détaillée peut joindre l'heure et le lieu de naissance.)

Le chiffrage et l'interprétation des noms est une des branches de la numérologie, issue des principes de la Kabbale. On appelle ce procédé : guématrie ; et la technique de divination qui en découle : onomancie. (Voir *Première partie,* chapitre 5.)
Il consiste à faire correspondre à chaque lettre un nombre — l'ensemble des nombres d'un nom étant ensuite traité et analysé selon les opérations numérologiques usuelles.
La méthode la plus connue consiste à donner à chaque lettre son numéro d'ordre dans l'alphabet (en faisant les réductions des nombres supérieurs à 9) :

A	J	S	1
B	K	T	2
C	L	U	3

```
D M V   4
E N W   5
F O X   6
G P Y   7
H Q Z   8
I R     9
```

Ce système est le plus commun, mais aussi le plus conventionnel et artificiel, puisque l'on donne aux lettres leur valeur ordinale, sans qu'il y ait de véritable lien avec leur racine kabbalistique. (Néanmoins le hasard n'existant pas, l'ordre des lettres dans l'alphabet latin doit bien correspondre à quelque chose. Mais à quoi ?) Aussi nous ne conseillerons pas son utilisation pour des recherches numérologiques sérieuses.

Par analogie avec la numération des alphabets antiques, Bongo proposait en 1591 les correspondances suivantes :

A	B	C	D	E	F	G	H	I
1	2	3	4	5	6	7	8	9

K	L	M	N	O	P	Q	R	S
10	20	30	40	50	60	70	80	90

T	V	X	Y	Z	I	V	HI	HV
100	200	300	400	500	600	700	800	900

(On ne distinguait pas graphiquement I et J, U et V.)

Mais un système de numération directement inspiré des correspondances hébraïques (et islamiques) semble avoir été adopté par la plupart des occultistes.

Georges Muchery propose ainsi ce qu'il appelle « l'Alphabet sacré des mages » (la correspondance est exacte — voir Première partie, chapitre 5) :

A	1	I	10	Q	100
B	2	J	10	R	200
C	20	K	20	S	300
D	4	L	30	T	400
E	5	M	40	UVW	6
F	80	N	50	X	60
G	3	O	70	Y	10
H	8	P	80	Z	7

auxquels on devrait ajouter, pour être complet :

TH   9
TS   90

Ces mêmes valeurs, réduites, donnent le tableau suivant, utilisé entre autres par Cornélius Agrippa et Cagliostro :

1   A I Q J Y
2   B K R
3   C G L S
4   D M T
5   E H N
6   U V W X
7   O Z
8   F P

Il existe des variantes de ce même tableau :

1   A I J Q
2   B C K R
3   G L S
4   D M T
5   E N
6   U V X
7   O Z
8   F P H

Ces différents systèmes autorisent autant de variations. Chacun choisira le procédé qu'il *ressentira* comme répondant à son propre tempérament, à sa propre perception divinatoire...

— *Le nom* (de famille) est le propre d'une « dynastie ». C'est lui qui nous relie à la chaîne des ascendants. Sa transmission par le Père rend son influence prépondérante sur le plan matériel. C'est le « legs » des ancêtres, le patrimoine héréditaire et culturel, etc. Beaucoup de noms ont une signification propre (nom de métier, nom de lieu-dit, etc.) qu'il est déjà intéressant de connaître. (On peut consulter utilement les dictionnaires spécialisés sur les noms et prénoms.)

Le nom symbolise le *canal* par lequel une « âme » s'incarne dans la société des Hommes... Chiffré, il donne le *nombre d'hérédité* (de tendance passive) : il indique l'influence familiale et tribale (au sens large : la collectivité) sur le destin.

Pour les ésotéristes, l'hérédité est l'expression biologique et physiologique de la rencontre du *karma* individuel et du *karma* collectif. On ne s'incarne pas « par hasard » dans *telle* famille, *tel* pays, à *telle* époque, etc. Tout ceci est déterminé par des lois complexes de la relation *de cause à effet,* remontant à la nuit des temps, à l'origine même de l'univers.

— *Le prénom* est spécifiquement *personnel et individuel.* La tradition populaire rapporte le symbolisme qui a trait à tel ou tel prénom, d'après leur étymologie, la vie des saints, etc. Ces significations sont également utiles à connaître ; elles font partie, dans un certain sens, de l'onomancie.

Dans les familles croyantes, on attribuait au prénom la vertu d'une protection du saint correspondant. Il implique donc la relation de la personne avec les mondes spirituels invisibles. Le nom se rapporte au *corps*, le prénom se rattache à l'*âme*.

Lorsque la Convention remplaça (le 24 octobre 1793) le calendrier grégorien par un calendrier « républicain »... on remplaça également les noms de saints par des noms de fleurs, de légumes, d'outils, etc., que l'on donna aussi pour prénoms aux enfants. Même déspiritualisés, ces prénoms représentent symboliquement les *idéaux* d'une certaine société. Ils étaient, en quelque sorte, les « saints » du culte de la déesse Raison...

Chiffré, le prénom donne le *nombre personnel* ou *nombre actif,* significatif de la voie par laquelle un sujet se *distingue* dans la communauté.

La *somme* du nombre d'hérédité et du nombre personnel donne le *nombre d'expression* d'une personne.

Généralement, on prend en considération :

— pour une dame, son nom de jeune fille (son nom de mariage indiquant l'*apport* du mari) ;

— le nom public des vedettes, quand il s'agit de leur profession ou des secteurs de leur existence où ils utilisent ce nom. (Pour les affaires privées, le nom de naissance est plus significatif) ;

— le surnom, lorsqu'il est couramment employé (même remarque que pour le précédent).

Chez toute personne, on peut distinguer la personnalité (ou Moi superficiel, apparent) et l'individualité (ou Moi profond). (Certains systèmes inversent ces définitions : la personnalité désignant les qualités propres d'une personne, l'individualité désignant sa définition extérieure, sociale. Mais la distinction est la même.)

L'ensemble chiffré des *voyelles* indique la vie interne, la nature intime du Moi profond réel, les qualités latentes d'une personne. On l'appelle parfois *nombre d'idéal*.

L'ensemble chiffré des consonnes indique la structure externe, les particularités *visibles* du caractère, la manifestation extérieure, l'apparence physique, la situation sociale, etc.

Lorsqu'il y a harmonie entre ces deux nombres, on a affaire à une personne loyale, franche, sans dissimulation. Lorsqu'ils diffèrent ou sont en désaccord, cela indique une personne intravertie — ou secrète — soit par nécessité, soit par intérêt, soit par crainte. En tout cas, « ne pas se fier aux apparences » avec de telles personnes : on pourrait être surpris, en mal comme en bien.

Les voyelles sont des sons purs, proches de l'essence des choses (elles désignaient, en Grèce, les notes de musique, considérées comme *émanations du monde divin*.) Elles sont l'aspect animique et spirituel du langage. Par les voyelles les mots *respirent*. L'hébreu n'écrit que les consonnes, les voyelles sont « devinées » d'après le contexte.

Les consonnes sont les articulations, la structure des mots. Elles correspondent à la charpente des choses, à leur aspect extérieur. Les mots *existent matériellement* par les consonnes (qui, comme leur nom l'indique, « sonnent avec » les voyelles).

La somme de toutes les lettres symbolise l'unité esprit, âme, corps. Elle indique, dans un nom, les vocations, aptitudes, tendances sur un plan général, intérieur et extérieur.

On voit comment l'analyse des noms peut être poussée jusqu'à une certaine finesse.

Prenons, pour exemple de sujet, un dénommé *Jean-Pierre Durand* (ce nom est choisi au hasard ; le patronyme Durand étant très répandu, toute coïncidence avec une personne existant réellement serait fortuite et involontaire).

L'examen superficiel de ce nom permet de dire que le sujet a probablement un ancêtre militaire (mais qui n'en a pas ?) — Le prénom indique une certaine dualité de caractère, entre l'affabilité et la courtoisie propres aux *Jean* et l'autoritarisme, souvent maladroit, des *Pierre* (selon le symbolisme traditionnel des prénoms).

En utilisant le tableau de Cornélius Agrippa, nous chiffrons (par réductions successives) :

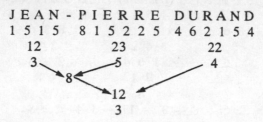

La somme des voyelles est : $5 + 1 + 1 + 5 + 5 + 6 + 1 = 24 \rightarrow 2 + 4 = 6$.

La somme des consonnes est : $1 + 5 + 8 + 2 + 2 + 2 + 4 = 24 \rightarrow 6$.

On a donc :

Nombre d'hérédité :   4
Nombre personnel :   8
Nombre d'expression :   3
Nombre du Moi profond : 6
Nombre du Moi superficiel : 6

L'accord de ces deux derniers nombres indique un caractère massif et franc qui dégage (par le 6) une impression d'harmonie.

Le 4 indique la stabilité (presque excessive) du sujet, *reçue par hérédité*. Donc : *liens très forts avec la famille*.

Le 8 montre que le sujet s'exprime personnellement par une certaine originalité qui lui est propre. Le nombre personnel permet ici de compenser ce que le nombre d'hérédité aurait pu avoir de paralysant. Mais le 8 implique la nécessité de l'effort.

Finalement, le sujet se manifestera de façon globale, par son activité, parfois intempestive et sauvage, indiquée par le nombre 3 — nombre qui marque cependant le succès, d'autant que l'hérédité et la personnalité sont bien équilibrées, et que la franchise naturelle du sujet l'écartera des voies troubles. D'ailleurs la valeur secrète du nombre d'expression 3, est *vs* 3 = 6, c'est-à-dire qu'il coïncide avec le Moi profond : donc le sujet *réalise ses idéaux,* ce qui peut être la définition d'un *bonheur* acquis par soi-même.

Certains numérologues définissent le *nombre racine* ou *nombre de chance* de la façon suivante (disposition analogue à celle des thèmes géomantiques — réductions successives des nombres, par paires) :

$$
\begin{array}{lll}
\text{J E A N - P I E R R E} & & \text{D U R A N D} \\
1\ 5\ 1\ 5 \quad 8\ 1\ 5\ 2\ 2\ 5 & & 4\ 6\ 2\ 1\ 5\ 4 \\
6\ 6\ 6 \quad\quad 9\ 6\ 7\ 4\ 7 & & 1\ 8\ 3\ 6\ 9 \\
3\ 3 \quad\quad\quad 6\ 4\ 2\ 2 & & 9\ 2\ 9\ 6 \\
6 \quad\quad\quad\quad 1\ 6\ 4 & & 2\ 2\ 6 \\
7\ 1 & & 4\ 8 \\
8 & & 3
\end{array}
$$

$$6 + 8 + 3 = 17 \rightarrow 1 + 7 = 8$$

Le nombre de chance coïncide avec le nombre personnel du sujet. Ce qui est un *excellent indice de réussite*.

On peut varier et pousser l'analyse plus loin, en recherchant, par exemple, les valeurs secrètes, ou en retenant les nombres correspondant aux arcanes du Tarot. Que le lecteur se « découvre » lui-même en chiffrant et déchiffrant son propre nom. Il découvrira peut-être, en passant, des procédés inédits d'investigation...

La carte d'identité numérologique
II. La date de naissance

L'importance de la date de naissance n'échappera pas à ceux des lecteurs qui connaissent les principes de l'astrologie. Le *moment* où l'on prend pour la première fois son *souffle*, en toute autonomie, est conditionné par toutes sortes d'influences extérieures et de facteurs intérieurs déterminants pour le destin. L'astrologie en rend compte par l'interprétation symbolique et divinatoire de la position des Astres. La numérologie apporte ses éléments d'information, par la connaissance des cycles et des rythmes. Selon Paul Bouchet, « la mathématique divinatoire nous donne exactement le diagramme d'une vie humaine depuis sa naissance, à sa mort ».

Pas besoin d'éphémérides compliquées : on se base sur les chiffres de la date de naissance.

Bien sûr, on ne doit jamais perdre de vue l'aspect conventionnel d'un tel procédé : les années de l'ère chrétienne, par exemple, sont comptées à partir d'une année 1 hypothétique, que l'on sait en retard de près de six ans sur la date réelle de la naissance du Christ. D'autre part, il n'est pas interdit de se baser sur d'autres ères ; chaque confession religieuse utilise souvent un calendrier spécial qui lui est propre, et que l'on peut adopter dans la mesure de l'importance qu'on lui accorde.

L'an 1975 de l'ère chrétienne correspond à :
— l'an 6688 de l'ère julienne (selon Scaliger) ;
— l'an 5975 pour les francs-maçons ;
— l'an 5726 de l'ère judaïque ;
— l'an 4348 de l'ère celtique (selon le cycle de Ram) ;
— l'an 2751 de l'ère des Olympiades ;
— l'an 1354 de l'Hégire ;
— l'an 183 de la République...

(Les années ne commencent pas toutes au même mois. Se référer à l'usage.)

En fait, l'usage du calendrier grégorien (ère chrétienne) ayant été adopté et utilisé, depuis de nombreux siècles en Europe et, de nos jours, par tous les peuples du monde, cette mesure du temps imprègne et conditionne toutes les activités humaines et tous les rapports entre humains. Elle est donc, à cet égard, *significative,* et peut être utilisée sans scrupule.

La somme des chiffres de la date de naissance donne le *nombre du destin* ou *nombre natal,* que l'on appelle aussi : *route de destinée.* Les 9 routes sont interprétées selon la signification des nombres de 1 à 9.

Tous les êtres nés à la même date n'auront pas le même destin. Le chiffre correspondant au *nom* du sujet apporte des éléments complémentaires — voire contradictoires — d'interprétation.

Les astrologues savent qu'il y a *ressemblance* (et non *similitude*) ou *analogie* de destin entre natifs du même jour, car certaines influences sont communes (celles des planètes lentes, notamment). Mais chaque minute de la journée apporte des modifications du « ciel de naissance »...

En comparant le nombre d'expression et le nombre natal d'une personne, on se rend compte si la route qu'elle aura à suivre dans la vie correspond bien à son caractère. Autrement dit : le nombre d'expression désigne le « voyageur », lequel peut avoir pris un chemin plus ou moins facile à suivre, selon ses possibilités.

L'addition du nombre d'expression et du nombre natal, réduit à un nombre de 1 à 22, donne le Grand Nombre de Destinée, interprété selon les 22 arcanes majeurs du Tarot.

Lorsque l'on parle du destin, on est amené à parler du libre arbitre. La difficulté est de bien discerner ce qui, dans l'existence, peut être modifié et ce qui ne le peut pas.

On ne peut pas modifier le passé, ni l'acquis du passé. « Ce qui est écrit est écrit », disait Ponce Pilate. Le libre arbitre joue *dans l'instant présent,* dans le choix *(plus ou moins conscient)* des gestes et des mots, à chaque seconde de notre existence.

Le libre arbitre, c'est d'abord la possibilité d'accepter ou de refuser l'acquis du passé. Le refus crée généralement les névroses obsessionnelles, et autres maladies psychiques. On ne peut changer d'existence que par une acceptation intégrale du passé : ensuite on peut créer du nouveau. On peut même changer de route, on peut faire mentir toutes les prédictions : cela demande un effort personnel et constant ; cela est réservé à une élite pour qui la facilité est une voie étrangère.

Mais n'importe qui peut « faire au mieux » avec les éléments dont il dispose. Une bonne connaissance des arcanes de la Destinée peut aider à remplir l'existence de beaucoup de joie.

Comprendre son destin relève de la numérologie divinatoire (passive). Organiser son destin relève de la numérologie magique (active).

Imaginons que notre « ami » Jean-Pierre Durand soit né le 28 janvier 1947 (cette date est ici choisie au hasard). On réalise la sommation de :

$$28\text{-}1\text{-}1947 \rightarrow 2 + 8 + 1 + 1 + 9 + 4 + 7 = 32 \rightarrow 3 + 2 = 5$$

Or le *cinq* est, précisément, un chiffre de l'homme, face à son destin, et face à son libre arbitre. Il indique un tempérament réceptif, sensitif, voire sensuel. Le sujet doit donner à son existence un axe solide qui peut le mener aux plus belles réalisations. Dans le cas contraire il risque de disperser son énergie, perdre le contrôle de lui-même. Risque de maladies nerveuses, etc.

Les natifs possédant ce chiffre ont souvent une vie mouvementée, le succès peut tarder à venir, souvent faute de concentration. Car l'imagination et l'activité ne manquent pas.

On voit comment le *nombre natal* permet d'avoir une bonne idée générale de l'*ambiance de vie* du sujet. Ce qui sauve notre ami, c'est son nombre d'hérédité, le 4, qui lui assure la stabilité physique et matérielle, dont il a besoin. Car son originalité personnelle (indiquée par le 8) et son activité quelque peu désordonnée mais brillante (nombre d'expression : 3) trouvent dans cette route de destinée une dangereuse tentation de choisir les pentes abruptes et les sentiers pour le moins broussailleux. D'autant que son nombre de chance appuyant son nombre actif (8) lui assure la facilité et le succès dans ses entreprises... La moralité transparente du sujet et son idéal profond d'harmonie (le 6) lui font choisir, en fin de compte, les moyens les plus constructifs.

Son arcane de Vie est donc déterminé par le Grand Nombre :

nombre d'expression : 3 + *nombre natal* : 5 = 8

Bien que sur un registre différent (basé sur 22) il est en syntonie avec le *nombre personnel* (8).

L'arcane 8 des Tarots indique : *la Justice,* qui confirme ce que nous savions déjà de la moralité du sujet, et qui l'aide à faire des choix clairs et judicieux — choix qui construisent sa vie dans un sens très positif.

*
**

L'étude numérologique des dates — qu'elles soient considérées comme point de départ d'un *cycle de vie* (date de naissance) ou bien d'un *cycle d'Histoire* (voir exemples qui suivent) — apportent souvent des informations curieuses.

Dans ses *Recherches sur les fonctions providentielles des dates et des noms* (Paris, 1852), Villarouet donne d'intéressants exemples historiques :

Si l'on considère Clodion comme le premier Mérovingien, la date de son avènement : 427, donne par sommation : $4 + 2 + 7 = 13$, le nombre de rois de cette dynastie.

L'avènement des Carolingiens, en 752, $7 + 5 + 2 = 14$, nombre de rois de cette dynastie. (Selon les historiens modernes, Pépin le Bref fut proclamé Roi des Francs dès 751, ce qui donnerait également 13, significatif comme *nombre royal.*)

En se basant sur ce principe, l'histoire de la République française, sans interruption monarchique, commence en 1848 : ce qui nous promettrait $1 + 8 + 4 + 8 = 21$ présidents de la République, avant un changement de « régime ». **(François Mitterrand est le vingt-et-unième...)**

Clovis est né en 465, $4 + 6 + 5 = 15$, or il devint roi à l'âge de 15 ans. Le règne des Capétiens débuta en 987 et finit en 1789 (reflet : 987] [789). On sait comment le dernier « Capet » fut décapité, quelques années plus tard.

En comparant la vie de saint Louis (Louis IX : arcane 9 des Tarots : voie spirituelle...) et celle de Louis XVI (arcane 16 des Tarots : la « tour foudroyée », le changement brutal...) on s'aperçoit qu'il y a exactement 539 ans entre leurs naissances, l'année de leurs mariages, et divers autres faits de leurs vies. Seule la date de la mort de Louis XVI est considérablement avancée, ... et pour cause !

En 1849, alors que l'Allemagne recherchait les voies de son destin, le futur Guillaume II interrogea une célèbre prophétesse de Fiensberg.

Celle-ci annonça la fondation de l'Empire pour :
$1849 + 1 + 8 + 4 + 9 = 1871$;
la mort du Souverain (Guillaume 1er) en :
$1871 + 1 + 8 + 7 + 1 = 1888$;
la chute de l'Empire en :
$1888 + 1 + 8 + 8 + 8 = 1913$. Fin virtuelle, en effet, puisque la déclaration de guerre de 1914 entraîna la chute des Hohenzollern.

Ce procédé de sommation de l'année de naissance permet de calculer les années cruciales, ou années « charnières », particulièrement importantes dans le courant d'une vie. (Cette importance n'est pas forcément *visible* extérieurement, ni évidente pour l'entourage : ce sont, le plus souvent, des années de *décisions* dont les effets peuvent se faire sentir beaucoup plus tard.)

Ainsi, un natif de 1949, par exemple, aura pour axes exceptionnels de sa destinée :
$1949 + 1 + 9 + 4 + 9 = 1972$;
$1972 + 1 + 9 + 7 + 2 = 1991$;
$1991 + 1 + 9 + 9 + 1 = 2011$;
$2011 + 2 + 0 + 1 + 1 = 2015$, etc.

Notre « sujet », né en 1947, aura pour dates importantes : 1947, 1968, 1992, 2013, 2019, etc.

...

Suivant ce même procédé, *Charles de Gaulle,* né en 1890, était marqué par un *cycle de 18 ans,* en effet :

$1890 + 1 + 8 + 9 + 0 = 1908$
$[1890 + 18]$
[fin de sa scolarité. Il est reçu à Saint-Cyr en 1909].

$1908 + 1 + 9 + 0 + 8 = 1926$
$[1908 + 18]$
[il fut collaborateur du maréchal Pétain entre 1925 et 1927...]

$1926 + 1 + 9 + 2 + 6 = 1944$
$[1926 + 18]$
[chef du Gouvernement provisoire à Alger].

$1944 + 1 + 9 + 4 + 4 = 1962$
$[1944 + 18]$
[réforme constitutionnelle par référendum concernant l'élection du Président de la République au suffrage universel].

On constate par ailleurs que De Gaulle revient au pouvoir *18 ans* après la création du Comité de la France libre (*1940* + 18 = 1958). La date du coup d'Etat (du 13 mai), s'écrit, numérologiquement : 13.5, c'est-à-dire : 13 + 5 = *18.*

Il est élu président de la République au suffrage universel *18 ans* après la fondation du *Rassemblement du Peuple français* : 1947 + 18 = 1965.

En complétant son nom public de l'initiale de ses trois autres prénoms de baptême (André, Joseph, Marie), on obtient :

CHARLES A.J.M. DE GAULLE

soit *18 lettres...*

N'oublions pas le célèbre appel du « 18 » juin... rédigé le 12 juin (12.6 → 12 + 6 = *18...*)

Curieusement, l'arcane 18 des Tarots (*La Lune* ou *Le Crépuscule*) est marqué par les notions (qui peuvent s'appliquer soit à De Gaulle, soit à son entourage et aux circonstances de sa vie, selon les cas...) d'*affrontement entre vérité et mensonge*, de *subversion*, de *l'illusoire reflet du réel (apparences trompeuses)*, du *danger de l'orgueil spirituel*, de *mauvais discernement*, de *déceptions, traîtrise, promesses non tenues*, de *vieillesse solitaire et triste...*

En dehors de toute appréciation partisane, on se souvient, en effet, des « accents gaulliens », de la « traversée du désert », de l' « ingratitude des Français », de quelques promesses effectivement non tenues, de ce halo de mystère qui entourait les intentions et motivations profondes du Général... L'*arcane 18* indique spécialement la *destruction des choses transitoires (Sic transit gloria...)*, ce qui éclaire singulièrement la dimension historique du destin de Charles de Gaulle...

6

Formulaire pratique

Résumé de la carte d'identité numérologique
Résumé de la signification des nombres de 1 à 9
Résumé de la signification des arcanes du Tarot (de 1 à 22)

prénom
nom   } *chiffrés*
date de naissance : *réduite numérologiquement.*

— prénom : *nombre personnel* ou *nombre actif* :
— nom : *nombre d'hérédité* :
— prénom + nom : *nombre d'expression individuelle* :
— somme des voyelles : *nombre de vie intérieure* ou *nombre d'idéalité* :
— somme des consonnes : *nombre de structure externe de la personnalité* :
— sommation, par paires successives, de toutes les lettres : *nombre racine* ou *nombre de chance* :
— date de naissance : *nombre natal* ou *nombre du destin (route du destin)* :
— nombre d'expression + nombre du destin = *grand nombre de destinée* (de 1 à 22).

N.B. D'autres développements sont possibles à partir de la date de naissance : nous en parlons dans le chapitre suivant sur le *calendrier numérologique.*

Pour chacun des nombres ci-dessus, on peut choisir, si l'on veut, de les interpréter en fonction des Tarots. Dans ce cas, on se contentera de les réduire à un nombre inférieur à 23.

D'autre part, certains numérologues ne poursuivent pas la réduction quand ils ont un total de 11 ou 22 — les considérant comme des maîtres nombres significatifs d'un destin exceptionnel.

Résumé de la signification des nombres de 1 à 9.

1. Chiffre du « Prince ». Personnalité monolithique, apte au commandement. Autocrate éclairé. Concentration. Energie. Ambition. Générosité, ouverture, franchise, malgré une tendance à l'égocentrisme. Fermeté, parfois excessive.
   Situation élevée. Réussite par la volonté et la confiance en soi. Clarification et organisation. Pionnier, souvent solitaire.
2. Personnalité toute en souplesse, en adaptabilité. Arrondit les « angles » du précédent. Bon exécutant, a besoin d'être dirigé. La soumission est parfois sa faiblesse, mais le sacrifice de soi est souvent sa force. Profondeur, idéalité, patience. Sentimentalité, attachement au passé.
   Equilibre instable. Réussite par la sociabilité.
3. Tient du caractère des deux précédents : brillant et actif, s'adapte à toutes les situations. Sachant prendre des initiatives originales et efficaces. S'impose par sa gentillesse. Esprit plein de ressources, ne connaît aucune frontière. Indépendant par nature, influençable par générosité.
   Variations dans le destin. Des hauts et des bas, acceptés avec philosophie et dignité : d'un mal fait un bien.
4. Stabilité des apparences, mais intensité intérieure. Méthodique en tout, même dans le choix de ses amis. Le devoir, l'ordre et la droiture motivent et conditionnent tous ses actes. Manquant parfois d'idées originales, il peut être « dépassé par les événements », et dans ce cas ou bien il est perdu, désorienté, ou bien il se rattrape habilement. Matérialité étouffant le feu intérieur — qui parfois s'échappe... (colère...)
   Réussite par le travail, l'endurance, les choix équilibrés.
5. Aime goûter et toucher à tout, ce qui le rend parfois quelque peu excentrique. Intellectuellement et socialement très actif, décon-

tracté jusqu'à l'excès. Parle souvent de lui-même pour masquer son manque de confiance en lui. Il se défie encore davantage des autres, et s'attache rarement.

Vie aventureuse, passionnante, parfois dangereuse. Les conseils qui lui seraient les plus utiles sont ceux qu'il écoute le moins. Le succès dépend moins des détails que de l'orientation générale qu'il donne à sa vie.

6. Goût de l'harmonie, du service réciproque, des échanges. Réaliste et amical. Influence autrui sans diriger. Confiance en soi et stabilité doivent être acquises mais le sont naturellement.

Réussite par la création, sur le plan esthétique ou par les services, sur le plan social.

7. Marqué par la spiritualité. Ne néglige pas les contingences matérielles mais peut se trouver en conflit avec elles. Les problèmes sont résolus par la réflexion, la méditation, la sagesse.

Son meilleur atout de réussite est l'intuition. Il faut persévérer dans les idées que l'on croit bonnes, en étudiant bien toutes les conditions matérielles qui permettent leur réalisation.

8. Seul à savoir, en profondeur, ce qu'il veut faire de son existence, il doit persévérer dans son travail et ses activités, passer au-delà des obstacles ou des échecs provisoires qui se rencontrent inévitablement. Il a la possibilité d'acquérir une rare maîtrise sur lui-même, sur son destin, et par suite, sur son environnement et son entourage.

9. Indique les personnalités riches en qualités diverses. Il possède à la fois l'autorité et la vulnérabilité des rois, car — trop impatient, trop personnel ou trop original — il n'est pas toujours suivi... Créativité aux accents prophétiques.

Succès parfois trop faciles ; il peut s'ensuivre des insuccès par dépit ou par dispersion. Il peut réunir la plus haute ambition et le plus grand désintéressement.

N.B. Ces indications générales n'excluent pas de connaitre par ailleurs le symbolisme propre à chaque nombre et de l'adapter, pour l'interprétation, au contexte de chaque cas particulier.

Résumé de la signification des arcanes du Tarot (de 1 à 22).

« L'édifice mondial entier, l'évolution de l'homme et les manifestations divines appartiennent aux combinaisons des 22 lois de la sagesse.

« C'est pourquoi la Doctrine initiatique livre sa teneur en rapport avec ces 22 arcanes pris successivement » (Serge Marcotoune).

Les lecteurs désireux d'approfondir la doctrine des arcanes du Tarot peuvent se reporter utilement aux ouvrages qui lui sont consacrés. Nous ne donnons ici que les éléments nécessaires et suffisants pour l'*interprétation numérologique.*

Arcane 1. *Le Bateleur* ou *le Mage.* La personnalité-individualité dans sa recherche de maîtrise de l'Univers. Volonté. Savoir-faire. Intelligence.

Arcane 2. *La Papesse* ou *la Porte du Sanctuaire.* Science, imagination, gestation, initiation. L'environnement matériel (« objet ») dont la compréhension permet le progrès du « sujet ».

Arcane 3. *L'Impératrice* ou *Isis Uranie.* Action, fécondité, réceptivité, énergie. Fruit du labeur.

Arcane 4. *L'Empereur* ou *la Pierre cubique.* Puissance, causalité, autorité, réalisation, protection. Usufruit du labeur.

Arcane 5. *Le Pape* ou *l'Initié (Le Maître des arcanes).* L'inspiration, l'incarnation de l'esprit, le pouvoir moral et matériel.

Arcane 6. *L'Amoureux* ou *les deux routes.* L'incertitude, l'épreuve, le choix, l'exercice du libre arbitre. Double attirance paradoxale : celle de la beauté de la création, et celle du Créateur qui réalise cette beauté ; illusion des sens *(Maya),* réalité de l'Esprit *(Ayam).*

Arcane 7. *Le Chariot* ou *le char d'Osiris.* Maîtrise de soi, conquête de l'Unité. Victoire et triomphe.

Arcane 8. *La Justice* ou *Thémis.* L'équilibre. Expression de la Loi cosmique : le résultat des actes (jugement et exécution). Cet arcane manifeste essentiellement la position du sujet, selon le critère : « Vous serez jugé d'après vos propres jugements... »

Arcane 9. *L'Hermite* ou *la lampe voilée.* Concentration, silence intérieur, sagesse, prudence, révélation, perfectionnement. Le pèlerinage intérieur, la voie spirituelle.

Arcane 10. *La Roue de Fortune* ou *le Sphinx.* Illustre les principes : « Ce qui est en bas est comme ce qui est en haut, et inversement pour réaliser l'Unité », « Les derniers seront les premiers et inversement ». Profiter de sa chance, accepter l'infortune avec égalité d'humeur : la voie du juste milieu. Désigne également le Gardien du Seuil, rencontré à la fin d'un cycle : « Si l'expérience vous a profité, soyez heureux. Sinon, retournez à l'école de la vie... »

Arcane 11. *La Force* ou *le lion dompté* (ou *muselé*). Le pouvoir de l'esprit sur la matière (Hercule et Samson sont les figures mythologique et biblique de cet arcane). Courage, confiance en soi et en une énergie transcendante. Souvent le sujet connaît mal sa puissance, qu'il peut exercer en bien ou en mal (construction ou destruction), selon son degré de conscience.

Arcane 12. *Le Pendu* ou *le Sacrifice (La Victime).* Violence subie. Expiation. Dévouement. Arcane paradoxal : acceptation du destin, négation de la culpabilité : le bien rendu pour le mal. L'holocauste, le bouc émissaire, le Messie rédempteur.

Arcane 13. *L'arcane sans nom* ou *la Mort (Le Faucheur).* Transformation (subie ou acceptée), Régénération. La fin et le commencement : passage sur un autre plan d'existence, sur un nouveau cycle. La porte étroite, que l'on ne peut passer sans dommage qu'au prix d'un total dépouillement.

Arcane 14. *La Tempérance* ou *les Deux Urnes,* ou encore : *Le Génie solaire* (ou *humain*). Vases communicants : transfusions, combinaisons, procréation. La résultante des forces en présence. Invite à l'équilibre. Réflexion et initiative. L'action juste.

Arcane 15. *Le Diable* ou *le Typhon.* La force des éléments, la fatalité des lois de la nature. Le Karma. Impulsivité, tendance à l'involution. Le feu du ciel enfermé dans la matière, cherchant désespérément à s'en dégager. L'élévation de la pensée aux prises avec l'inexorable. Générosité déçue.

Arcane 16. *La Maison Dieu* ou *la Tour foudroyée*. Contrainte, chute brutale, ruine, mutation inattendue, crise salutaire. « Veillez et priez car vous ne savez ni le jour ni l'heure... »

Arcane 17. *L'Etoile* (*l'Etoile des Mages* ou *les Etoiles*) ou *les Sept Sceaux*. Une étincelle de lumière guide vers la vérité. Espérance. Manifestation (Epiphanie). Révélation (Apocalypse). « Ce qui est caché sera éclairé au grand jour. » Signe d'un dénouement.

Arcane 18. *La Lune* ou *le Crépuscule*. « Tout ce qui brille n'est pas or. » Difficulté à distinguer la vérité du mensonge. La connaissance indirecte : cet arcane « prêche » le faux pour savoir le vrai, généralement en vain. Situations troubles, apparences trompeuses, déceptions. Matière sans harmonie. Nécessité d'un total renversement des valeurs pour s'exprimer de façon positive et constructive.

Arcane 19. *Le Soleil* ou *la Lumière resplendissante*. Manifestation de la perfection et de l'harmonie divines. Bonheur, extase, joie de vivre. L'amour, la fête fraternelle.

Arcane 20. *Le Jugement* ou *la Résurrection (le Réveil des Morts)*. Le dénouement et le renouvellement de toutes choses. Réhabilitation, renflouement, réconciliation. Transmutation. Sublimation.

Arcane 21. *Le Monde* ou *la Couronne des Mages*. La récompense, l'illumination, la gloire, l'héritage spirituel et matériel. Pierre philosophale. Réalisation du Grand Œuvre alchimique.

Arcane 22. *Le Mat* ou *le Fou* ou *le Crocodile*. Limite indiscernable entre la sagesse et la folie. Comportement incompréhensible. Ne pas juger sur les apparences : « on reconnaîtra l'arbre à ses fruits », « Dieu reconnaîtra les siens »... Ambiguïté cosmique, relativité, tous les critères d'appréciation sont abolis.

(Cet arcane porte également le nombre 0. Mais on le situe parfois entre *le Jugement* et *le Monde*.)

Le calendrier numérologique :
cycles et rythmes

On peut réduire toute date à un nombre de 1 à 9.

Exemple :

14 juillet 1789 : 14-7-1789 $\rightarrow$ 1 + 4 + 7 + 1 + 7 + 8 + 9 = 37 $\rightarrow$ 3 + 7 = 10 $\rightarrow$ 1 + 0 = 1

Si l'on chiffre toutes les dates du calendrier on obtient donc des cycles de neuf jours (interrompus à chaque changement de mois) — qui sont, peut-être, à l'origine des « neuvaines ».

Outre les nombres journaliers, on peut considérer les nombres mensuels et annuels :

Mars 1960 s'écrira : 3 + 1 + 9 + 6 + 0 $\rightarrow$ 1

Août 1971   : 8 + 1 + 9 + 7 + 1 $\rightarrow$ 8

Février 1977   : 2 + 1 + 9 + 7 + 7 $\rightarrow$ 8

etc.

1974 s'écrira : 1 + 9 + 7 + 4 $\rightarrow$ 21 (sur un cycle de 22)

ou :   › 3 (sur un cycle décimal)

1978   : 1 + 9 + 7 + 8 $\rightarrow$ 7 ou 3 (cycle de 22)

ou : $\rightarrow$ 7 (cycle décimal).

etc.

On utilise volontiers le cycle des 22 arcanes majeurs du Tarot pour déterminer l'influence annuelle planétaire (donc : pour toute l'humanité).

UN EXEMPLE : 1975

$$1975 \rightarrow 22 \text{ ou } 13 \rightarrow 4$$

Cette année, coïncident deux cycles importants :

— 22 est le 0 d'un nouveau cycle de 22 (arcane 22 = 0 : *le Fou*).

C'est une année où se manifesteront les signes des plus grands dérèglements, mais également des plus grandes prouesses intellectuelles et techniques pour remédier aux conséquences de ces dérèglements. En fait, sagesse et folie semblent se confondre, de faux « sages » créant eux-mêmes la disharmonie par des « mesures » désespérées, et de faux « fous » préparant tranquillement l'avenir avec des méthodes qui n'empruntent rien aux « conventions »... (Si ces formules paraissent sibyllines, elles expriment bien le propre du *Fou*, et, en cette matière, Dieu reconnaît les siens...)

On peut également considérer 22 comme le 1 d'un cycle de 21 (3 × 7), donc 1975 serait « l'an 01 » d'un nouveau cycle de *créativité*.

— 13 est le nombre du passage sur un plan supérieur d'existence : c'est le nombre du Phénix (qui « renaît » de ses propres cendres). Cette année procure donc à notre civilisation une chance de survie, à travers une *régénération*.

— Enfin, le nombre 4 montre que cette année est particulièrement significative et importante sur le plan « terrestre » et des cycles de vie propres à la Terre. C'est une année qui peut voir la *paix* se profiler aux *quatre* horizons, comme elle peut voir se déchaîner les *quatre* cavaliers de l'Apocalypse... Tout dépend du *choix* de l'humanité, *à la croisée des chemins...*

Le calendrier personnel

On peut confronter les nombres journaliers, mensuels, annuels, etc. — qui sont les mêmes pour tout le monde — aux nombres *individuels* indiqués par la Carte Numérologique.

Par exemple : les dates les plus favorables aux entreprises d'un « sujet » seront celles qui correspondent à son *nombre natal*.

Les jours correspondant au *nombre d'hérédité*, le « poids » des ascendants se fera le plus sentir, soit dans le sens négatif d'une entrave, soit dans le sens positif d'une bonne « assise », de bonnes « racines »...

Les jours correspondant au *nombre personnel*, le sujet se sentira plus « à l'aise », plus libre de ses mouvements et maître de ses initiatives. Les jours correspondant au *nombre d'expression* seront favorables aux réalisations du sujet.

(On peut également chercher les correspondances avec tous les autres nombres issus ou déduits de la « carte numérologique ».)

Un sujet sera également sensible aux nombres mensuels et annuels qui correspondent à ses propres nombres d'*influence mensuelle et annuelle* (cycles analogues aux « révolutions lunaires » et « solaires » en astrologie).

L'influence annuelle — sur un cycle de neuf ans — est déterminée par un nombre de 1 à 9 déduit de la *date anniversaire.*

L'influence mensuelle est déduite de la sommation :
nombre du jour de naissance + nombre du mois en cours.

Exemple : une personne née le 23 mars 1927 (nombre natal : 9) était marquée le 3 septembre 1951 par :

— le nombre du jour : *1* ;
— son nombre mensuel (période du 23.8 au 22.9) :
   $2 + 3 + 8 = 13 \rightarrow 4$;
— son nombre annuel (déterminé par : 23.3.1951) :
   $2 + 3 + 3 + 1 + 9 + 5 + 1 = 24 \rightarrow 6.$

Voyons ce que donne la période du 9 au 21 mars 1976 pour J.-P. Durand né le 28.1.1947. (Nombre annuel personnel : $28.1.1976 \rightarrow 7$; nombre mensuel personnel : $28.2 \rightarrow 3$.)

Ces dates :	correspondent ; pour J.-P. Durand, à :
$9.3.1976 \rightarrow 8$	— son *nombre personnel* et *son nombre de chance* ;
$10.3.1976 \rightarrow 9$	
$11.3.1976 \rightarrow 1$	
$12.3.1976 \rightarrow 2$	
$13.3.1976 \rightarrow 3$	— son *nombre d'expression* et *son nombre d'influence mensuelle* ;
$14.3.1976 \rightarrow 4$	— son *nombre d'hérédité* ;
$15.3.1976 \rightarrow 5$	— son *nombre natal* ;
$16.3.1976 \rightarrow 6$	— son *nombre d'idéal* ;
$17.3.1976 \rightarrow 7$	— son *nombre d'influence annuelle* ;

18.3.1976 → 8   — son *nombre personnel* et son *nombre de*
                            chance, etc.
19.3.1976 → 9
20.3.1976 → 1
21.3.1976 → 2

Il est facile de se constituer un tel calendrier sur son propre agenda, et de voir ainsi immédiatement les jours importants, selon différents aspects et critères. Avec la pratique, ces indications peuvent se révéler d'excellent conseil : on s'apercevra, par exemple, qu'il est inutile de traiter une affaire tel jour de la neuvaine, ou au contraire que tel autre jour est souvent favorable, etc.

Comparaison des nombres, observation des faits : deux clés du succès.

Autres nombres personnels d'influence annuelle

On peut déduire du prénom et du nom un nombre annuel, en considérant chaque lettre correspondante à une année d'âge :
Il y a seize lettres dans le nom de

J E A N - P I E R R E
D U R A N D

dont la vie sera marquée par un cycle périodique de seize années :

J E A N - P I E R R E   D U R A N D

arcanes :	1	2	3	4	5	6	7	8	9	10	11	12	13	14	15	16
années d'âge :	1	2	3	4	5	6	7	8	9	10	11	12	13	14	15	16
	17	18	19	20	21	22	23	24	25	26	27	28	29	30	31	32
	33	34	35	36	37	38	39	40	41	42	43	44	45	46	47	48
	etc.															

On peut, de plus, tenir compte de la valeur numérale de chaque lettre. Par exemple : à 38 ans, J.-P. Durand est marqué par les nombres : 6 et 1 (pour *i*).

Numérologie et astrologie se rencontrent dans la définition des nombres dits « professionnels » :

Pour savoir *dans quel domaine* s'appliquera un nombre d'influence annuelle, on a recours à un double cycle de douze ans, qui correspondent exactement aux *douze maisons astrologiques*.

Pour déterminer ces nombres, on divise par douze l'âge correspondant à l'année qui nous intéresse, et le reste indique la relation :

années d'âge	maisons astrologiques
1	1
2	2 et 12
3	3 et 11
4	4 et 10
5	5 et 9
6	6 et 8
7	7
8	8 et 6
9	9 et 5
10	10 et 4
11	11 et 3
12 et 0	12 et 2

Signification des 12 maisons astrologiques

1. Le sujet. Début, commencement d'une entreprise.
2. Les acquisitions matérielles : salaires, héritages, etc.
3. Frères, sœurs, cousins (au sens large), alliés, relations. Petits déplacements en relation avec eux.
4. La maison paternelle, le foyer. Héritage du passé (au sens propre comme au figuré).
5. Les amours. Les enfants. Les plaisirs. Le fruit des spéculations.
6. Les employés, les subalternes dans le travail. Les outils. Les animaux domestiques. La santé.
7. Le conjoint. Les associés.
8. Transformations, changements, pertes et acquisitions imprévues.
9. Les influences étrangères, les voyages, la vie psychique.
10. Situation professionnelle et sociale.
11. Protections, amitiés, engagements.
12. L'occulte : choses et influences cachées, méconnues. Lieux fermés.

En 1976, J.-P. Durand aura vingt-neuf ans.

Son nombre personnel d'influence annuelle est 7. Le nombre d'influence annuelle planétaire est 5 (selon le cycle décimal) et 1 (selon le cycle des Tarots). Pour lui, tous ces nombres s'exprimeront dans les Maisons 5 et 9. (29/12 = 2 reste 5... correspond aux maisons 5 et 9.)

C'est-à-dire que son activité, son goût des voyages et sa recherche spirituelle s'exerceront dans le domaine des amours ou des spéculations (Maison 5) et dans le domaine proprement dit des déplacements et de l'évolution intellectuelle (Maison 9).

On peut donc lui prédire, sans risque d'erreur, pour 1976, des voyages qui se révéleront fructueux sur les plans affectif et spirituel... (et peut-être matériel, s'il y traite quelque affaire...).

Rythmes cosmiques et bio-rythmes.

Si nous connaissions tous les rythmes qui régissent notre vie, nous aurions la maîtrise totale de nous-mêmes et de nos activités.

La numérologie permet, sans trop de calculs, de connaître quelques-uns de ces rythmes fondamentaux. C'est une science parente de l'astrologie. Celle-ci est basée sur les mouvements des corps célestes — mouvements qui ne sont pas autre chose que des rythmes — donc des manifestations du nombre — à l'échelle cosmique.

Si nous considérons notre seul satellite, il est animé de près de deux cents rythmes différents — qui ont une action directe sur nous, ne serait-ce que par le biais de la météorologie. Lune croissante et décroissante, lune montante et descendante, sont deux rythmes *différents* parmi les plus connus.

D'autres rythmes complexes, de sources diverses, conditionnent — sans que nous nous en apercevions — tous les secteurs de notre existence.

Les paysans, jadis, en connaissaient certains, sans avoir jamais ouvert d'autre *livre* que celui de la *nature vivante*. Aujourd'hui, les agriculteurs pratiquant les méthodes dites « bio-dynamiques » ne font pas autre chose que de reprendre conscience des influences cosmiques et de s'harmoniser avec elles : il y a un moment favorable pour le semis de chaque espèce, pour la préparation du compost, etc. La saveur et la qualité nutritive de ces productions agricoles sont sans commune mesure avec les produits d'une agriculture dite de « rentabilité » qui dénature les espèces et appauvrit les sols. Ceci est une autre histoire — qui n'est cependant pas étrangère à notre propos.

Parmi les rythmes auxquels tous les hommes sont soumis dès le jour de leur naissance, il en est trois qu'il est utile de connaître :

— un cycle de 23 jours, qui conditionne l'énergie physique ;
— un cycle de 28 jours, qui conditionne l'affectivité ;
— un cycle de 33 jours, qui conditionne la vie intellectuelle.

Ces cycles ont pu être déterminés par la simple observation statistique, mais ils étaient déjà connus de la tradition.

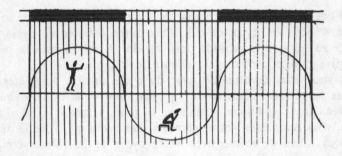

Chaque cycle est rythmé selon une phase positive (période « plus ») et une phase négative (période « minus »), qui correspondent à une alternance d'activité (donc, d'usure de forces) et de repos (régénération des forces). Les décisions importantes doivent être prises, et les gros efforts fournis, de préférence dans les périodes positives, quand les énergies sont disponibles. C'est un facteur infaillible de succès.

Les trois cycles se combinent et se chevauchent sans jamais coïncider — sauf une fois tous les 23 × 28 × 33 = 21 252 jours, soit près de 58 ans et 2 mois...

Pour déterminer où en sont les cycles personnels à une date donnée, il faut calculer avec précision (en n'oubliant pas de tenir compte des années bissextiles) le nombre de jours que vous avez vécus jusqu'à aujourd'hui compris (ou jusqu'à cette date comprise) — (vous ne comptez le jour de naissance que si vous êtes né avant midi). Vous divisez ce nombre :

— par 23 : le reste indique sur quel jour de votre cycle physique se situe la date d'aujourd'hui (ou la date en question) ;
— par 28 : le reste indique la position de votre cycle affectif ;
— par 33 : le reste indique la position de votre cycle intellectuel.
(Pour les distinguer, sur un graphique, on les colore respectivement en rouge, en bleu et en vert.)

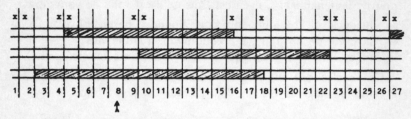

Si nous sommes, par exemple, le 8 du mois, et que vous soyez à votre 4ᵉ jour du cycle de 23, vous faites débuter ce cycle le 5. Du 5 au 16 sera la période positive, du 16 au 26 sera la période négative. Un nouveau cycle débute le 27, etc.

Si vous êtes à votre 27ᵉ jour du cycle de 28, vous êtes à la fin de la période négative de ce cycle, que vous faites débuter à nouveau le 10 (14 jours « plus », 14 jours « minus ») et ainsi de suite, vous remplissez votre calendrier aussi loin que vous le désirez.

Vous faites de même avec votre cycle de 33. Vous êtes, par exemple, au septième jour de ce cycle. Vous construisez le graphique correspondant. (16 jours 1/2 « plus », 16 jours 1/2 « minus ».)

Les jours de passage d'une période « plus » à une période « minus » sont dits *critiques* (indiqués, sur le graphique, par : ✕). L'instabilité énergétique de ces passages rend vulnérable aux défaillances. Dans l'exemple ci-dessus, les 1, 2, 4, 5, 9, 10, 16, 17, 18, 22, 23, 26 et 27 sont des jours critiques. Certains chefs d'entreprise ne confient jamais une tâche délicate à leurs employés ces jours-là : ils font ainsi l'économie de bien des erreurs et accidents.

Nous voyons également que la période du 11 au 15 août doit être excellente sur tous les plans, les trois cycles étant positifs. Par contre, du 23 au 26 : quelques journées difficiles.

Avec votre calendrier numérologique, ces « bio-rythmes » complètent votre connaissance des cycles dont vous dépendez.

8

Les nombres dans la vie

Les rapports sociaux (associations, contrats, mariages, etc.)

Le propre de l'homme est d'être un « animal social », dont l'existence dépend en grande partie de celle d'autrui : rares sont les ermites capables de produire leur propre subsistance. Les « relations », dans la vie sociale et dans la vie professionnelle, assurent la survie du « groupe » humain et se traduisent par des associations et des contrats. Le fameux « contrat social » de Rousseau est un prototype de cette réalité.

La sociologie essaye de rendre compte des lois complexes qui conditionnent les rapports entre les hommes. Elle *constate* surtout l'existence de *rapports de force*, qui se manifestent le plus souvent dans la lutte et la violence (visible ou non).

Les « associations » de toute nature sont le plus souvent la mise en commun d'intérêts particuliers qui vont, provisoirement, dans une même direction (mais qui peuvent s'opposer, un jour prochain...).

Les associations désintéressées, sans arrière-pensée, sont quasiment inexistantes. Cependant, il arrive que certaines personnes se préoccupent davantage de ce qu'elles peuvent donner — plutôt que de ce qu'elles peuvent recevoir. La société idéale serait évidemment celle où tout le monde donnant tout gratuitement, personne ne manquerait de rien. Toute crainte, toute peur, toute suspicion disparaîtraient automatiquement... Le drame humain est peut-être que chacun compte sur les autres plus que sur lui-même. Tant que la civilisation restera un habile camouflage (ou transposition) de la loi de la jungle, on pourra attendre longtemps une véritable paix sociale. Néanmoins, comment reconnaître, dans cette « jungle », les personnes sur qui on peut réellement compter, et à qui on a quelque chance d'être réellement utile ?

Sans remplacer l'observation et l'expérience psychologiques, la numérologie peut nous y aider. Le meilleur moyen consiste à comparer les « cartes d'identité numérologique ». On voit immédiatement si les nombres y sont en « syntonie », en harmonie ou en disharmonie, voire en conflit, etc.

Un moyen simple de comparer deux nombres sur le plan symbolique et divinatoire — outre de les considérer « face à face » — est d'examiner leur *somme* et leur *produit* (selon l'analyse proposée page 200).

La somme donnera le « ton » de leur relation. Le produit indiquera la « direction » qu'elle prendra sur le plan des manifestations extérieures. L' « accord » ou le « désaccord » de deux nombres n'est pas systématique : il convient d'examiner chaque cas particulier à la lumière de tous les autres éléments d'appréciation en présence.

Voici, à titre indicatif, le « climat » possible des relations entre les nombres de 1 à 9 :

1	X							
2	!	?						
3	§	§	!					
4	§	§	§	?				
5	§	§	§	X	!			
6	§	!	§	§	§	!		
7	?	§	!	?	§	§	!	
8	?	§	?	!	?	§	§	X
9	X	?	!	?	§	!	?	?	!
	1	2	3	4	5	6	7	8	9

(Ces relations ne sont ni systématiques ni absolues. Elles relèvent de l'impression subjective de l'auteur au moment de la constitution de ce tableau. Les relations « conflictuelles » peuvent aussi être entendues comme « alchimiques ».)

excellent : !
bon : §
incertain : ?
conflictuel : X

Si les *nombres d'hérédité* sont harmonieux, cela indique des racines communes, sur lesquelles il sera peut-être possible de s'appuyer.

La comparaison des *nombres personnels* indique le degré de sympathie mutuelle, la possibilité d'accord sur un plan d'activité.

Les *nombres d'expression* indiquent la possibilité d'accord sur le plan professionnel et social.

Les *nombres d'idéalité* expriment la relation *en profondeur,* quelles que soient les divergences matérielles ou formelles.

L'harmonie des *nombres formels* (valeur des consonnes) indique un accord de surface, superficiel, mais utile sur le plan des réalisations concrètes.

L'harmonie des *nombres du destin* est un critère hautement favorable aux associations — durables — de toute nature, à condition d'un minimum d'accord sur le plan des idéaux.

Naturellement, les comparaisons ne sont pas cloisonnées : chacun des « nombres » d'une personne (hérédité, expression, idéalité, etc.) doit être comparé à *l'ensemble des nombres* du partenaire éventuel. Cet examen approfondi permet de mettre en lumière tous les aspects possibles de leur relation, à tous les niveaux.

Par exemple, deux personnes ont respectivement pour *nombre d'expression* : 5 et 4. Le 5, « aventureux », a peu de chances de s'accorder avec le 4, sage et « ordonné » : ils ne seront jamais au même « rythme » sur le même plan. Par contre, ils peuvent s'entendre pour se répartir les tâches d'un travail commun, si un minimum d'accord existe à un autre niveau (hérédité, idéalité...).

De plus, il est rare que deux personnes vivent en « vase clos » : aussi faudra-t-il étendre l'analyse à l'entourage immédiatement concerné (familial, professionnel ou autre).

Les perspectives de ces rapports sont illimitées. On peut, en effet, constater la complémentarité de deux personnes au travers d'un tiers. Considérons cette situation schématique : soient trois personnes A, B et C. A est un émotif pur, B un intellectuel. Ils n' « accrochent » pas. C, un « intuitif », saura comprendre l'un et l'autre.

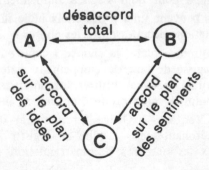

235

Si A et C sont en accord sur un plan affectif, C pourra jouer le rôle de « transformateur » : il saura « faire sentir » à A le contenu de la pensée de B, et il saura « expliquer » à B ce que ressent A. Le schéma peut être inversé ou démultiplié. Il peut tenir compte de l'*évolution* du caractère de chaque protagoniste, et constater la modification de leurs rapports en conséquence. A la limite, cette « géométrie humaine » peut rendre compte de l'ensemble des rapports humains possibles : elle peut contribuer à rationaliser les sciences humaines (application des méthodes du structuralisme aux données de l'ésotérisme traditionnel...).

La comparaison numérologique des protagonistes permet également de rechercher les causes d'un conflit et d'en présager l'issue. (Transposé sur un plan ludique, le conflit devient compétition : par exemple dans les sports.) L'interprétation partisane cède le pas à une recherche objective *et* subjective d'une situation. Et, comme on l'a dit, un problème bien posé peut être considéré comme résolu.

Les nombres et la chance

Certaines personnes s'aperçoivent qu'elles sont « poursuivies » par un nombre. C'était le cas pour Ann Todd, dont le nom comporte sept lettres, qui partit pour Hollywood un 27, ouvrit le Théâtre Saville un 17, subit sept opérations chirurgicales et joua le rôle principal dans un film intitulé « Le septième voile »... Le nombre 7 se répète trop souvent, dans les axes importants de la vie de cette actrice américaine pour qu'il s'agisse simplement de hasard.

Les nombres peuvent aider à des choix judicieux, par la compréhension des relations occultes entre les choses et les gens.

Ceux qui désirent « tenter la chance » pour eux-mêmes ou pour autrui, qu'il s'agisse de leur développement matériel, mental, psychique ou spirituel, peuvent utiliser les nombres, en fonction de leur *propre* compréhension et de leur *propre* intuition.

Le Bureau Veritas — Office international de renseignements maritimes et aéronautiques — édite un registre régulièrement mis à jour de tous les numéros d'immatriculation des navires marchands et des avions civils. Les marins, depuis toujours, savent déchiffrer le nom des bateaux : on a constaté que les 5 font souvent de lointains voyages, que les 7 sont marqués par la « chance », mais que les 6 et les 8 « tiennent mal la mer ».

On peut, pour sa propre gouverne, chiffrer et interpréter les adresses (numéro + nom de rue + nom de ville + numéro départemental...), les numéros d'immatriculation automobile, les numéros de téléphone, etc.

On peut également interpréter les numéros de dossiers (justice, administrations diverses, etc.) pour avoir une indication sur l'évolution d'une démarche.

Même les numéros de « référence » de votre courrier peuvent, dans cet esprit, être comparés : vous pouvez voir dans quel sens « s'acheminent » vos rapports avec votre correspondant.

Tout cela sans perdre de vue que les nombres n'expriment pas nécessairement les arrêts du sort. Ils sont davantage un support de divination, permettant, dans certains cas, de « rectifier » l'évolution des choses, en cours de route.

Ce sont des éléments d'information — qui ne remplacent pas l'expérience de la vie, mais peuvent l'élargir considérablement.

Les numérologues reçoivent un courrier énorme, dans lequel on leur demande trop souvent de donner le numéro gagnant d'une Loterie, ou le tiercé dans l'ordre, etc.

Il n'est pas possible de diffuser de telles informations, même si elles sont connues : il n'y aurait d'ailleurs plus de « jeu » si les résultats étaient divulgués d'avance.

On peut tout au plus conseiller de jouer aux dates correspondant au *nombre personnel de chance,* sur des chiffres correspondant également à ce nombre. Le résultat est rarement « acquis » d'avance. La connaissance d'un nombre favorable n'entraîne pas nécessairement la décision du destin : d'autres facteurs entrent en jeu, notamment les fameuses lois « karmiques ». (Il n'existe, à dire vrai, aucun moyen *infaillible* pour gagner au tiercé, même avec un ordinateur...)

Dans quelque domaine que ce soit, le succès se mérite. Si la chance vient, tant mieux. Rares sont les personnes qui font un bon usage d'une « chance » dont elles n'ont pas payé le prix.

C'est pourquoi les sages de tous horizons nous conseillent : « cherchez la paix intérieure et la sérénité, le reste vous sera donné *par surcroît* ».

Faire confiance aux pronostics sans faire d'abord confiance à la vie, c'est de la superstition, qui n'amène jamais très loin.

La vie nous a donné tout ce que nous possédons déjà. Elle *peut* nous donner tout ce dont nous avons *réellement* besoin. Seuls l'*optimisme* et la *joie de vivre* peuvent rendre *magiquement actifs* tous les symboles traditionnels, dont les nombres sont la synthèse vivante.

Ile-de-France, Août-Septembre 1974.

ANNEXE 1
Extraits de correspondance
avec Françoise d'Eaubonne

le 16 - 08 - 1979

Monsieur,

Laissez-moi d'abord vous remercier pour la passionnante lecture que je vous dois. Et ensuite vous faire part de ma surprise enchantée, et vous poser deux questions.

Or, j'ai découvert que vous parliez de moi à la page 154 ; ce n'est pas l'effet d'un hasard mais parce qu'après avoir mis mon nom, prénom, date de naissance, etc. en équation, je venais de constater, fort étonnée, une répétition de chiffres qui m'intriguait :

Nombre personnel ou actif : 7
Nombre d'expression : 16→7
Grand nombre de destinée : 16→7
Nombre tribal et familial : 9
Nombre de vie intérieure ou idéalité (moi profond) : 9
Nombre des structures externes (moi social) : 5

La répétition du 7 et du 9 m'avait étonnée, car j'ai toujours cru que mon chiffre était le 12 et ses sous-multiples. Pourquoi ? Je suis née un 12 mars (signe des Poissons, le 12e) et en 1920, donc : 1 + 9 + 2 + 0 = 12.

C'est alors que j'ai vu que vous disiez, page 200, que le 12 était « l'enfant du 7 ». Me reportant donc à votre analyse du chiffre 7, que vois-je ? Vous me citez avec d'autres œuvres, (...) avec mes Sept Fils de l'étoile *! (...)*

C'est d'autant plus extraordinaire que j'essayais de mettre en contradiction la géomancie et l'astrologie ; or les attributs du 7 et du 9 soulignent fortement tout ce qu'il y a de neptunien dans mon thème du 12e signe. *Tout est dit par vous : tempérament mystique (bien que je sois incroyante) et inspiration, recherche de la prophétie (romans d'anticipation et essais s'adressant au siècle suivant). De plus, ma Lune est dans le 9e signe (Sagittaire).*

Reste le 5. Le « moi social ». 5e maison du zodiaque. Or son signe, le Lion, constitue mon ascendant et je sais depuis toujours qu'il dirige mon moi extérieur. Et de plus : 7 + 5 = 12.

Que pensez-vous de cette série de « coïncidences » ?

Je dois souligner que la similitude entre « moi tribal, héréditaire » et Grand nombre du destin ne doit pas surprendre car, depuis toujours, je cite le mot de Lola Montès : « Les ancêtres ne me laissent pas en repos » et j'ai insisté dans mes Mémoires *sur la coïncidence de mon moi profond avec ce qu'ont été divers aïeux de type très fort dont l'hérédité n'a cessé de me régenter.*

De même, je ne peux que constater la similitude entre le nombre *d'expression et le nombre* actif personnel *puisque mon choix d'une action personnelle est celui de l'expression : écrire.*

A présent, un petit détail peut remettre en cause tout ce bel édifice. Dans le calcul du nom tribal, je n'ai pas fait entrer le d' de « d'Eaubonne » pensant qu'il faut l'éliminer comme sur une fiche alphabétique. Si je dois garder le d', le nombre devient 13 (9 + 4). Pourriez-vous me dire lequel de ces calculs est le bon ? (...)

Un autre détail vous intéressera peut-être : mon cycle est de 17 ans. Or la 17e arcane est celle de « l'Etoile aux sept sceaux ». Je l'ignorais en écrivant les Sept Fils de l'étoile.

(...) Et j'en profite pour vous apporter ici, à titre personnel, la confirmation de votre si intéressante science des nombres.

Françoise d'Eaubonne

le 27 - 08 - 1979

Chère Madame,

(...) Votre témoignage semble confirmer que le destin humain, au sein du cosmos, est mu par des archétypes symboliques dont les nombres sont une expression. Depuis longtemps j'ai eu des confirmations que rien n'était dû au hasard dans l'univers. (...)

En ce qui concerne la particule d', vous soulevez un problème que je n'avais pas étudié. Je pense qu'il est légitime de ne pas en tenir compte dans la mesure où cette particule n'appartient pas au patronyme proprement dit mais indique une appartenance (géographique, familiale). (Ainsi mon prénom, François-Xavier, vient du saint espagnol François de Xavier.) D'autant qu'à la Révolution beaucoup de particules ont disparu. Mais il en va différemment si la particule s'est fondue au nom (Deaubonne) ou si elle s'écrit avec une majuscule (De Gaulle), n'étant plus considérée comme signe de noblesse : à ce moment-là l'usage consacré impose de compter la pseudo-particule. (...)

        François-Xavier Chaboche

ANNEXE 2
« L'univers sacré des nombres »
(conférence prononcée à Paris* le 28 mai 1978)

Le titre que nous avons donné à cette causerie montre bien que nous nous plaçons résolument dans une perspective spirituelle. Aussi nous allons parler des nombres, mais n'attendez pas que je vous fasse un exposé théorique, intellectuel. Ce que je voudrais essayer de faire aujourd'hui, c'est de vous faire sentir, aussi bien par le cœur que par votre compréhension du cerveau, la façon dont les nombres sont présents dans notre vie, et en quoi les nombres peuvent être utiles à notre évolution. Je pense que ce n'est pas l'érudition que vous venez chercher ici, mais une meilleure compréhension des lois de la vie, des lois spirituelles et des lois cosmiques. Or justement c'est en cela que les nombres peuvent nous aider. C'est un sujet extrêmement vaste et qui peut paraître, au premier abord, un peu compliqué. Mais nous verrons qu'en réalité, si nous avons quelque peine à comprendre les lois de l'univers, qui sont, dans leur essence, extrêmement simples, c'est parce que c'est nous qui sommes compliqués et que nous avons perdu de vue la source de notre propre existence.

La compréhension de la signification symbolique des nombres peut justement nous aider à nous retrouver dans ce labyrinthe de l'existence où nous croyons parfois être un peu perdus. Nous n'épuiserons certainement pas le sujet dans le temps qui nous est imparti, mais nous allons essayer de donner quelques indications importantes qui pourront servir de base à ceux d'entre vous qui voudront par la suite approfondir ces

---

* Aux « Deux Dimanches de Judith Henry ».

questions. Certains d'entre vous qui sont déjà avancés dans l'étude des sciences traditionnelles reconnaîtrons, au passage, des choses qu'ils savent déjà, ils voudront bien m'excuser, et, de toute façon, il n'est jamais mauvais de réentendre certaines vérités essentielles, qui peuvent être exprimées sous une forme ou sous une autre, mais qui empruntent toujours le langage du symbolisme, qui est le seul langage universel. (...)

Le meilleur moyen d'aborder un sujet, c'est de partir de l'expérience de la vie. Or il y a une expérience qui est commune à tout le monde, depuis le moment où l'enfant prend conscience du monde qui l'entoure, et que nous renouvelons chaque jour et à chaque instant, c'est l'expérience de la diversité du monde qui nous entoure et de la multiplicité des objets qui composent ce monde. C'est tout à fait prodigieux de constater qu'il n'y a pas, dans notre univers, deux choses semblables, ni deux êtres semblables. Il y a toujours une différence, même petite, entre deux êtres et, de plus, chaque objet, chaque être se transforme constamment.

Il n'y a rien de stable dans notre univers. Même pas une pierre. Car nous savons qu'à l'intérieur de la pierre il y a des myriades d'atomes et que ces atomes sont constitués de particules élémentaires en mouvement qui ne se trouvent jamais à la même place. Quant aux êtres vivants, chacun sait qu'ils se renouvellent constamment, que les éléments qui composent le corps humain, par exemple, sont constamment remplacés et que, par conséquent, nous ne sommes jamais exactement le même d'une seconde à l'autre.

Lorsque nous comprenons cela, nous pouvons être un petit peu inquiets. Car nous avons besoin de certitudes, nous avons besoin de stabilité, nous avons besoin de quelque chose qui soit permanent, de quelque chose en quoi nous puissions avoir confiance. Le besoin de sécurité est le besoin le plus profondément enraciné dans l'être humain. Et pour cause, puisque nous sommes plongés dans un monde d'insécurité, nous vivons dans un monde matériel et, dans la matière, rien n'est stable, rien n'est définitif, rien n'est absolu.

C'est d'ailleur pourquoi certains penseurs, certains philosophes ont cru pouvoir dire que le monde était absurde. ... Mais l'absurdité, c'est d'abord et avant tout l'ignorance. Car derrière cette multiplicité, cette diversité et ce mouvement dont nous avons parlés, il y a des lois, il y a des règles précises et contraignantes qui régissent tous les phénomènes de l'existence. Et la connaissance de ces lois, la compréhension de ce lois, sont justement le fil d'Ariane qui nous permet de ne pas nous perdre dans le labyrinthe de l'existence et de trouver, au bout du chemin, la vraie liberté.

Peut-être certains d'entre vous pensent-ils que nous nous éloignons du sujet, mais pas du tout, nous nous trouvons en plein dedans. Car justement, notre problème, dans cette multiplicité d'objets, dans cette multiplicité d'êtres, dans cette multiplicité de phénomènes au sein desquels nous vivons, notre problème c'est de retrouver le fil d'Ariane, de retrouver l'Unité qui se trouve derrière la multiplicité du monde des apparences sensibles.

Nous venons de prononcer le mot d'Unité... Si je prends un dictionnaire pour y trouver la définition du mot nombre, j'y trouve l'explication suivante : le nombre est une unité, ou une collection d'unités, ou une partie de l'unité. Or, l'unité, dans le monde des apparences, ça n'existe pas, il suffit de regarder autour de nous pour nous en convaincre. Et pourtant, l'unité, ça existe comme définition, ça existe comme principe. L'unité, ça n'existe pas physiquement, mais ça existe comme idée. Et c'est cette idée là qui nous permet de nous y retrouver dans l'existence.

Toutes les connaissances que nous pouvons avoir de notre monde sont basées sur des mesures. Et toutes les mesures sont basées sur une unité de valeur. Nous vivons dans un monde où toute l'activité humaine, toute la pensée humaine est fondée sur des chiffres, c'est-à-dire sur des nombres, et tous les nombres sont : ou bien l'unité, ou bien une collection d'unités, ou bien une partie d'unité. Et l'unité qu'est-ce que c'est ? C'est quelque chose qui n'existe que dans notre esprit !

Quelque chose qui n'existe pas dans le monde matériel, quelque chose qui existe dans notre esprit, et qui sert de modèle, de référence à tout ce qui existe dans le monde matériel, cela s'appelle, dans les langage des philosophes, un archétype. Je crois que c'est important de bien comprendre ce qu'est un archétype, si l'on veut comprendre quelque chose aux nombres.

Lorsqu'un architecte veut construire une maison, il commence par y penser. La maison de l'architecte est d'abord une idée abstraite, une idée spirituelle. Puis, ensuite, cette idée devient un plan sur le papier. Mais tant qu'on a un plan sur le papier, l'on n'a pas encore une maison. Eh bien, l'idée qui se trouve dans la tête de l'architecte peut être considerée comme l'archétype du plan dessiné sur le papier. Et le plan — destiné à être mis entre les mains d'un entrepreneur — peut être considéré comme l'archétype de la maison.

On peut voir par cette exemple qu'un archétype, une idée, n'intervient jamais directement sur le plan matériel. Il y a des intermédiaires. Entre l'idée de la maison et la maison construite, il y a l'intermédiaire de l'architecte et l'intermédiaire du plan sur le papier. L'architecte est, en quelque sorte, le médium à travers lequel l'idée devient un plan. Et l'entrepreneur est le médium à travers lequel le plan devient une maison. Cet exemple est très significatif car il montre, par comparaison, par analogie, comment le monde spirituel peut agir sur le monde matériel. Or le nombres sont des idées, et en tant qu'idées ils appartiennent au monde spirituel, et n'agissent sur notre plan matériel qu'à travers la conscience d'intermédiaires.

Notre univers matériel lui-même est, en quelque sorte, une construction. Et cette construction n'est pas le fruit du hasard. Il y a des principes, il y a des lois, qui ont présidé à la construction de notre monde. Et la meilleure expression, la plus simple, que l'esprit humain ait trouvée pour expliquer ces lois, ce sont les nombres.

Toute l'histoire de la pensée humaine, toute l'histoire des sciences, toute l'histoire de la connaissance humaine est fondée sur les nombres. C'était déjà l'idée des anciens, des Egyptiens, des Grecs, des Celtes, des Indiens etc., que l'univers a été construit d'après le modèle des nombres. Et ce qui est tout à fait extraordinaire, c'est que la science moderne ne dit pas autre chose. Que cherche le savant dans ses travaux scientifiques ? Il cherche quelles sont les lois de l'univers. Et que fait le savant lorsqu'il découvre les lois de l'univers ? Il les exprime sous la forme de nombres. Et que sont les nombres ? Ce sont des idées, ce sont des archétypes qui appartiennent au monde spirituel.

Nous ne pouvons pas ici explorer tout cet univers sacré des nombres, nous ne pouvons qu'entrouvrir la porte. Libre à chacun d'aller plus loin s'il le désire. Je vais pourtant aborder avec vous l'une des clés essentielles de la science des nombres, une clé que reconnaîtront ceux qui sont déjà familiarisés avec des sciences sacrées telles que l'astrologie ou l'alchimie. Cette clé, c'est précisément l'unité. Comme nous l'avons vu, et comme le disent tous les traités de mathématiques, les nombres viennent tous de l'unité puisqu'ils sont soit la répétition de l'unité, soit des morceaux de l'unité. Lorsque l'on compte plusieurs objets, on les compte un par un.

Mais la question qui se pose, et la question la plus importante, c'est de savoir comment l'on est passé de l'unité, qui est l'état parfait, l'état de la divinité, au monde de la multiplicité, plein d'imperfections apparentes, qui est celui où nous vivons.

Dans l'unité, il n'y a pas de mouvement. Il n'y a que la perfection absolue. Si l'unité était restée ce qu'elle est, il n'y aurait jamais eu de création, et nous ne serions pas ici à nous poser des questions sur le sens de notre existence.

S'il y a eu une création, et si nous somme ici, c'est parce que l'unité contient une puissance, une richesse telles qu'il était inévitable que cette puissance et cette richesse se manifestent d'une façon ou d'une autre. La tradition gnostique dit que c'est en se regardant Lui-même que Dieu a créé le monde. Le monde est un reflet de Dieu, un reflet de l'unité. Mais, en se regardant Lui-même, en se contemplant Lui-même, Dieu s'est, en quelque sorte dédoublé. Au lieu de rester Un, Il est devenu Deux. Et c'est dans cette dualité primitive que se trouve le germe de toute création. C'est par un regard de Dieu sur Lui-même que le nombre Deux est apparu.

A partir du moment où il y a dualité, il y a un rythme, un échange, une oscillation. Le mouvement du pendule, c'est une oscillation entre deux positions fixes. Mais le pendule ne reste jamais fixe. La dualité donne naissance au mouvement, à la vie. C'est ainsi que par la dualité est né le rythme, et par le rythme est née la répétition, et par la répétition est né le nombre, et par le nombre est né le monde phénoménal et c'est dans ce monde phénoménal que nous nous trouvons. Et dans ce monde tout est régi par des rythmes. Ceux d'entre vous qui étudient l'astrologie le savent bien. Mais tous les rythmes qui constituent notre univers concret et sensible, tous ces rythmes que l'on trouve aussi bien au cœur de l'atome, que dans la vie biologique, que dans le mouvement des astres, tous ces rythmes proviennent d'une dualité originelle, d'une polarité originelle que l'on retrouve dans toutes les manifestations de l'existence.

Tous les phénomènes sont régis par l'échange d'une polarité positive et d'une polarité négative. C'est ce que les Orientaux appellent le Yin et le Yang. C'est ce que les alchimistes occidentaux ont appelé, dans leur langage symbolique, le mercure et le souffre. C'est la femme et l'homme, c'est la nuit et le jour, la lumière et la chaleur, etc. Nous pourrions passer des heures à décrire tous les phénomènes de la vie et tous les objets du monde concret qui vont par paires.

Il y a une seconde clé qui découle de la première. Car, quand il y a deux êtres, deux objets, deux forces, par le fait même qu'il y ait échange, par le fait même qu'un rythme se crée, il y a un troisième élément qui apparaît et qui est l'équilibre entre les deux premiers éléments. C'est ainsi que l'Unité divine est devenue Trinité. C'est ainsi que l'électricité positive et l'électricité négative donnent naissance à la lumière ou au mouvement. C'est ainsi que le père et la mère donnent naissance à l'enfant. C'est ainsi que le mercure et le souffre de alchimistes trouvent leur équilibre par le sel.

Nous pourrions continuer le développement des nombres. Car ils ne s'arrêtent pas à trois. Les nombres se multiplient eux-mêmes et finissent par rejoindre l'infini. Mais avant d'atteindre l'infini il y a la multiplicité et c'est dans cette multiplicité que nous nous perdons.

Aussi, m'arrêterais-je aujourd'hui au nombre trois. Car ce troisième élément dont nous parlons est, en quelque sorte, par l'harmonie qu'il apporte au sein de la dualité, un reflet de l'unité. L'harmonie, c'est l'unité dans la diversité.

Et le but de toute évolution spirituelle, c'est précisément de remonter à la source de la dualité pour retrouver l'unité et se fondre dans la source de toute existence.

Table

TROISIÈME PARTIE

PRATIQUE DE LA NUMÉROLOGIE. L'ÉCONOMIE DU DESTIN

Chez le même éditeur

Anna Schakina
« Sur les ailes d'Eros »

> *« C'est précisément pour que l'Homme*
> *ressemblât à Dieu qu'il fut créé mâle et*
> *femelle à la fois... »*
>
> *(Zohar)*

Sur les ailes d'Eros... Un titre à l'image merveilleuse, évocateur d'invitation au voyage et de roman d'amour ou, plutôt -- suivant l'idéé préconçue Eros égale érotisme -- de littérature libertine...

En l'occurrence, il s'agit bien d'Eros, mais d'un Eros sublimé, dans cette histoire authentique, contée sous forme romancée et dévoilant les secret d'une haute initiation spirituelle au sein de notre société contemporaine occidentale. Une aventure vécue par des personnages réels et dont l'actrice principale témoigne, dans cet ouvrage, de la formidable expérience qui a changé sa vie.

Il ne s'agit pas là d'un « guide pratique de l'illumination » mais du récit d'une femme de trente ans, Myriam, qui va remonter la pente de son désespoir et de son profond mal de vivre grâce à la rencontre d'un groupe dont l'idéal fantastique -- sauver l'humanité de sa propre perte -- ne peut se réaliser que par le changement des mentalités : un combat qui se livre d'abord à l'intérieur de soi.

Guidée par un enseignement initiatique, elle rencontrera l'âme sœur avec qui elle vivra l'union fulgurante corps-âme-esprit qui mène jusqu'à Dieu.

Un texte poignant, attachant, où la spiritualité rayonne à chaque page, et qui peut aider tous ceux qui, dans le désarroi de notre société, se posent des questions sur le sens de leur vie.

« Sur les ailes d'Eros » s'adresse à tous les fils et les filles d'Adam et Eve, dont le départ de l'Eden devrait être vu comme une bénédiction, la promesse d'un retour vers le Seigneur, où Eros ne sera plus -- tel l'Albatros de Baudelaire -- bloqué au sol et pouvant à peine marcher, mais déployant de nouveau ses ailes...

« Le sens profond de la création est l'amour, le besoin de donner, de partager. Et, bien entendu, pour qu'il y ait amour, il faut le Deux, il faut un échange. C'est cet échange qui est Eros, au-delà de tout ce qui, dans l'inconscient collectif, est attribué à ce nom. »

Un livre s'adressant peut-être plus particulièrement aux couples qui souhaitent approfondir leur union au-delà de l'égo de chacun -- mais aussi à nous tous, pour raviver la braise du souvenir que nous portons au fond de nous, de cette «félicité-conscience-connaissance » murée par notre « petit moi » !

(192 pages, 89 F, diffusion Dervy-Livres)

Anna Schakina
« La Flamme de Vie ressurgie »
(le mythe atlante révélé)

Un mythe venu du fond des âges nous éclaire sur notre présent, et nous prépare à notre futur.

La chute de l'Atlantide, revécue par la mémoire akashique, nous fait prendre conscience, aujourd'hui, de notre responsabilité d'homme et de femme à l'égard de la création tout entière et de nous-même, et nous invite à nous préparer à une nouvelle Résurrection et à un nouvel Age d'or, si nous reprenons résolument les chemins qui mènent vers Dieu.

« La Flamme de Vie et la Coupe mystique qui scellaient l'ineffable alliance du Créé et du Créateur ont, par leur disparition, précipité l'homme dans la chute. Le sang de lumière s'est changé en ténèbres, la beauté en laideur, la liberté en prison. Le rythme de Dieu s'est effacé et le dur métier d'homme a dû être réappris depuis le début. (...)

« Au cours des temps, les Envoyés de Dieu, des émanations de Christ et du Verbe, sont descendus pour empêcher la Terre de tomber aux mains des forces ténébreuses. Les sacrifiés de l'Atlantide sont revenus, au cours des cycles, pour freiner la course vers l'abîme. (...)

« Voici que sonne à l'Horloge cosmique l'heure du choix pour la Terre, voici que tout s'agite et tout bouge pour préparer le Temps nouveaux... (...)

« L'Atlantide doit renaître, c'est-à-dire que les grands secrets qu'elle possédait doivent surgir de l'eau de l'oubli pour être révélés. (...)

« Pour cela, il faut que revienne l'Initié, l'être en qui s'est réalisée l'union de la science, de la connaissance et de l'amour et qui, en se connaissant lui-même, connaît l'univers et les dieux. (...) L'humanité peut, comme en Atlantide, vaincre tous les maux qui l'accablent (...). »

(89 F, diffusion : Dervy-Livres)
(parution prévue : 2e trimestre 1989)

Achevé d'imprimer le 10 février 1989
dans les ateliers de Normandie Impression S.A.
Z.A.T. du Londeau, 61003 Alençon (Orne)
N° d'imprimeur : 890126
Dépôt légal : février 1989